SOCCER

DE L'ÉCHAUFFEMENT AU SIFFLET DE LA FIN – LE GUIDE ESSENTIEL

Catalogage avant publication de Bibliothèque et Archives nationales du Québec et Bibliothèque et Archives Canada

Gifford, Clive

   Soccer

   Traduction de : Football skills.

   Comprend un index.

   Pour les jeunes.

   ISBN 978-2-89654-334-2

   1. Soccer – Ouvrages pour la jeunesse. 2. Soccer – Entraînement – Ouvrages pour la jeunesse. I. Titre.

GV943,25.G5314 2013   j796.334   C2012-941318-6

Nous reconnaissons l'aide financière du gouvernement du Canada par l'entremise du Fonds du livre du Canada pour nos activités d'édition. Nous remercions également l'Association pour l'exportation du livre canadien (AELC), ainsi que le gouvernement du Québec : Programme de crédit d'impôt pour l'édition de livres – la Société de développement des entreprises culturelles (SODEC).

Titre original : *Football Skills : From warm-up to final whistle – the essential guide*
Publié pour la première fois en 2012 par Kingfisher
Une édition de Macmillan Children's Books
Une division de Macmillan Publishers Limited
20 New Wharf Road, London N1 9RR
Entreprises associées à Basingstoke and Oxford dans le monde
www.panmacmillan.com

Créé pour Kingfisher par Tall Tree Ltd

Photographie par Michael Wicks

Avec des remerciements à Martin McMahon, Nick Allpress, Neal McLoughlin, Chris Mattey, Martin Elcox, California FC et la Eversley Sports Association

Copyright © Macmillan Children's Books 2012

Pour l'édition canadienne en langue française
Copyright © Ottawa 2013 Broquet inc.
Dépôt légal – Bibliothèque et Archives nationales du Québec
1er trimestre 2013

Traduction : Lynda Leith
Révision : Diane Martin
Infographie : Nancy Lépine

ISBN : 978-2-89654-334-2

Imprimé en Chine

Note aux lecteurs : les adresses de sites Web listées dans ce livre sont exactes au moment de la publication. Cependant, en raison de la nature changeante d'Internet, les adresses des sites Web et leurs contenus peuvent changer. Les sites Web peuvent contenir des liens non appropriés pour les enfants. L'éditeur ne peut pas être tenu pour responsable des changements dans les adresses des sites Web ou leurs contenus ni pour l'information obtenue par l'entremise de sites Web d'une tierce partie. Nous recommandons fortement que les recherches sur le Web soient supervisées par un adulte.

SOCCER

DE L'ÉCHAUFFEMENT AU SIFFLET DE LA FIN – LE GUIDE ESSENTIEL

CLIVE GIFFORD

97-B, montée des Bouleaux, Saint-Constant, Qc, Canada, J5A 1A9
Internet : www.broquet.qc.ca Courriel : info@broquet.qc.ca
Tél. : 450 638-3338 Téléc. : 450 638-4338

Table des matières

Le soccer

La légende brésilienne du soccer, Pelé, a déjà décrit le soccer comme « le beau jeu ». Les parties peuvent être excitantes et specta-culaires. Elles peuvent présenter des moments de bravoure, de controverse, de grande adresse et d'action. Deux équipes de joueurs s'affrontent pour garder la possession du ballon, attaquent l'extrémité du terrain de leur adversaire et essaient de marquer un but.

Les buts remportent les parties, mais les équipes doivent se défendre pour empêcher les buts d'être marqués contre eux et pour regagner le ballon. Quand ils sont en possession du ballon, les joueurs peuvent utiliser n'importe quelle partie de leur corps, à l'exception des mains et des bras, pour contrôler et déplacer le ballon ou le passer à un coéquipier.

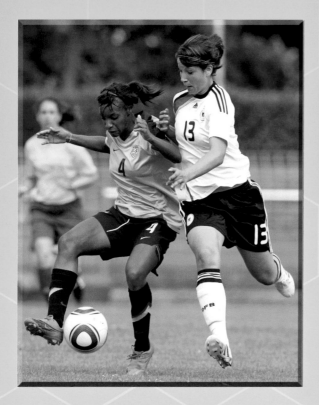

Sylvia Arnold (à droite), d'Allemagne, défie Crystal Dunn, des États-Unis, pendant un match international. Les meilleures joueuses ont l'occasion de représenter leur pays dans différents tournois.

« Le soccer est simple, mais ce qu'il y a de plus difficile, c'est de jouer un soccer simple. »

Johan Cruyff

Des enfants dans la ville de Niamey, au Niger, se servent de la rue comme terrain de fortune. Comme le soccer est un jeu simple qui nécessite peu d'équipement, des millions de personnes peuvent disputer quotidiennement des parties amicales dans toutes les régions du monde.

Plusieurs civilisations anciennes, y compris les Égyptiens et les Chinois, jouaient à des jeux où les joueurs donnaient des coups de pied dans un ballon. Le soccer d'association (la version moderne du jeu) a cependant pris naissance en Angleterre, où ont été développées les premières règles au cours du 19e siècle. Depuis, on rapporte partout dans le monde que le soccer est devenu le sport d'équipe le plus populaire de la planète.

Wayne Rooney marque avec un coup de pied retourné pendant un match opposant son club, le Manchester United, à un rival local, le Manchester City.

Des joueurs s'affrontent dans un match de soccer de ruelle au 18e siècle. Le soccer s'est développé depuis ces parties de soccer disputées en bande jusqu'à devenir un sport mondial.

Des joueurs célèbrent un but compté par un coéquipier. Bien que le joueur ait pu incarner la magie du moment pour compter, le travail collectif de ses coéquipiers a créé l'occasion pour marquer.

POSSESSION : Fait pour un joueur ou une équipe de contrôler le ballon

Terme de soccer

Le terrain

Le terrain est l'endroit où se fabriquent les héros, où les buts sont marqués et les matchs gagnés et perdus. Le terrain de soccer, à la différence de la plupart des terrains des autres sports, peut varier de grandeur. Un terrain de pleine grandeur mesure entre 90 m et 120 m de longueur sur 90 m de largeur. Les terrains pour les matchs professionnels sont habituellement recouverts de gazon, bien qu'on trouve des terrains en matière artificielle dans certains stades.

Les joueurs de soccer de premier niveau ont souvent l'air exténué à la fin d'une partie – les joueurs peuvent devoir courir un total de 10 à 12 km pendant un match. Le jeu s'interrompt seulement si un arbitre siffle pour signaler une faute ou une autre infraction ou si le ballon quitte le terrain.

Cette gardienne de but effectue un coup de pied de réparation à l'avant de sa zone de but. Ces coups sont accordés quand le ballon traverse la ligne de but et que le dernier à y avoir touché est un joueur attaquant. Si un joueur de défense touche le ballon en dernier, on accorde un coup de pied de coin.

Un défenseur trébuche et commet une faute envers un attaquant à l'intérieur de la surface de réparation. Une faute grave qui contrecarre une occasion de marquer un but entraîne une pénalité accordée en faveur de l'équipe attaquante (voir page 46).

AILTON
32

B.SCHN
10

QERBYSTAR

Ligne de but

Zone de but

Les gardiens de but sont les seuls joueurs qui peuvent toucher le ballon avec leurs mains et leurs bras, mais ils doivent se trouver à l'intérieur de leur propre surface de réparation. Ce gardien a manipulé le ballon à l'extérieur de sa zone et l'équipe adverse se verra accorder un coup franc (voir page 44).

Le ballon reste au jeu même si une portion traverse une ligne de touche ou une ligne de but.

Le ballon doit traverser complètement une ligne pour être hors jeu. S'il quitte le côté du terrain, la partie reprendra sur une rentrée de touche (voir page 42).

(voir page 42)

Un joueur attaquant propulse un coup franc au-delà du mur de joueurs de défense et sur le but. Un but pleine grandeur est fait d'un filet ajusté sur deux montants et une barre transversale. Le but mesure 7,32 m de largeur sur 2,44 m de hauteur.

Surface de réparation

Cercle central

Point de réparation

Point central

Ligne médiane

Ligne de touche

Au début de chacune des deux périodes de la partie, une équipe effectue un botté au milieu du cercle central. La première touche doit déplacer le ballon dans la moitié du terrain de l'adversaire et l'équipe adverse doit rester à l'extérieur du cercle central jusqu'à ce qu'il soit effectué. Les bottés servent aussi à reprendre le jeu après un but.

Quart de cercle en coin

Un joueur effectue un coup de pied de coin, visant à faire traverser le ballon dans la surface de réparation de l'autre équipe afin que ses coéquipiers puissent tenter de marquer. Le ballon doit être joué à l'intérieur du petit quart de cercle en coin.

Terme de soccer **PROFESSIONNEL:** Joueur de soccer qui reçoit un salaire à temps plein pour jouer

Se préparer à jouer

Que ce soit pour bondir haut une minute afin de donner un coup de tête et sprinter à toute vapeur ou plonger vers le ballon la minute suivante – le soccer soumet ton corps à une grande fatigue physique pendant un match. Tu devrais préparer ton corps et ton esprit à l'effort en effectuant une bonne séquence d'échauffement et d'étirements musculaires au préalable.

Tes chaussures sont de loin la partie la plus importante de ton équipement. Dédaigne les chaussures annoncées par les joueurs-vedettes et choisis plutôt celles qui s'adaptent le mieux à tes pieds, sont confortables et offrent un bon support autour des chevilles. Plusieurs bonnes chaussures sont dotées de tiges en cuir souple afin que ton pied puisse « sentir » le ballon. Nettoie et fais sécher tes chaussures après chaque partie pour qu'elles résistent à de nombreux matchs.

Ces chaussures de soccer sont dotées de crampons vissés pour offrir une bonne prise sur un terrain mou et trempé. Assure-toi que tous les crampons sont serrés avant de jouer. D'autres types de chaussures avec des boutons moulés servent sur un terrain sec et dur et sur des terrains en matière artificielle.

Attache tes lacets de chaussures avec un nœud double, en t'assurant que les bouts des lacets ne traînent pas au sol.

Un entraîneur enseigne à des joueurs comment étirer le tendon du jarret derrière la jambe. Tous les étirements devraient être effectués en douceur. Ne fais jamais de mouvements brusques et n'effectue pas un étirement en sautant ni à contrecœur.

Des joueurs font du jogging sur place et des élévations des genoux afin que leurs cuisses soient parallèles au sol. On peut porter un survêtement pour rester au chaud avant une partie.

Une joueuse de soccer aux longs cheveux les attache avant de commencer sa séance d'entraî-nement. Les joueuses doivent aussi retirer leurs bijoux avant de disputer un match.

Si tu bénéficies de quelques minutes sur le terrain avant une partie, vérifie le vent et les conditions météorologiques et échange quelques passes avec des coéquipiers pour évaluer la vitesse sur le terrain.

CONSEIL DE PRO

L'échauffement peut comprendre du jogging et d'autres activités qui augmentent le rythme cardiaque et font circuler le sang plus vite dans ton corps. Étirer les muscles contribue à prévenir les petits tiraillements musculaires ou des déchirures ou blessures plus importantes, et cela améliore aussi ta souplesse. Demande à ton entraîneur de faire avec toi une séquence complète d'étirements.

Les protège-tibias protègent la partie osseuse sur le devant inférieur de la jambe des coups de pied douloureux pendant le tacle. Plusieurs sont aussi dotés de rembourrage autour de la cheville et de la région du talon pour une protection supplémentaire. Les bas sont tirés par-dessus les protège-tibias et maintenus en place par des attaches.

« Faillir à se préparer.
Se préparer à échouer. »

Roy Kean, ancien milieu de terrain du Manchester United et d'Irlande

SOUPLESSE : Capacité à bouger tes articulations et diverses parties du corps

Terme de soccer

La première touche

Le ballon filera, volera et bondira vers toi à une grande variété de vitesses, de hauteurs et d'angles pendant une partie. Ton habileté à le contrôler rapidement, sans à-coups et avec précision à ta première touche déterminera le degré de succès de ton prochain mouvement. Tu peux utiliser n'importe quelle partie de ton corps, à l'exception de tes mains et de tes bras, pour contrôler le ballon. Tu as le choix d'amortir la vitesse du ballon ou de te servir de son rythme pour effectuer une passe courte ou courir avec lui.

Une bonne partie du temps, tu voudras ralentir le ballon à son arrivée afin d'en prendre le contrôle près de tes pieds pour courir, passer ou tirer. Les joueurs réalisent un amorti en écartant la partie du corps qui touche le ballon entrant. En déplaçant leurs pieds, cuisses ou torses selon la trajectoire du ballon, ils peuvent ralentir son allure afin qu'il ne rebondisse pas hors de contrôle.

Un joueur contrôle un ballon en hauteur avec son torse. Alors que le ballon arrive, il se penche vers l'arrière pour amortir l'impact du ballon. Ses pieds sont largement écartés et ses bras allongés pour l'aider à garder son équilibre. Le ballon devrait tomber doucement devant ses pieds, prêt à être contrôlé sur le sol.

Pratique l'amorti avec le côté et le cou-de-pied (où sont tes lacets) de tes deux pieds. Un joueur qui peut contrôler le ballon aussi bien avec chacun des deux pieds présente une plus grande menace.

CONSEIL DE PRO

Le contrôle ne nécessite pas toujours un amorti. Ici, un joueur projette son torse en avant au moment de l'impact et envoie le ballon à une courte distance en avant vers un coéquipier. C'est un exemple de contrôle ferme.

Bien que la plupart des jeux de tête (voir page 18) pratiquent le contrôle ferme, un jeu de tête avec amorti fera tomber le ballon ou pourra servir à effectuer une passe courte à un coéquipier à proximité. Le secret consiste à reculer la tête alors que le ballon arrive pour éliminer une bonne partie de sa vitesse.

Pour amortir un ballon qui tombe avec la partie supérieure de ta cuisse, lève-la afin qu'elle soit parallèle au sol. Lorsque le ballon arrive, baisse ton genou et recule ta jambe afin que le ballon soit amorti et tombe devant toi.

On peut utiliser le côté du pied pour contrôler un ballon rebondissant ou roulant sur le sol. Cette joueuse a tourné son pied receveur afin de présenter l'intérieur de sa chaussure au ballon. Elle recule son pied lorsque le ballon arrive.

Une bonne première touche ne se réussit qu'après beaucoup de pratique. Travaille ta première touche et le contrôle du ballon chaque fois que tu le peux. Demande à un ami de te passer le ballon à différentes hauteurs et vitesses ou utilise un mur pour faire rebondir le ballon dessus par toi-même. Concentre-toi sur le maintien de ton équilibre et l'observation du ballon afin de pouvoir l'amener sous ton contrôle aussi vite que possible.

« *Quand ta première touche est bonne, cela te donne toujours le temps de voir venir la suite.* »

Rafael van der Vaart, milieu de terrain attaquant néerlandais

Pour déjouer un adversaire, ce joueur a laissé une passe rouler devant son corps au lieu de contrôler immédiatement le ballon. Il se tourne brusquement pour avancer dans la direction suivie par le ballon, en se servant de sa vitesse pour laisser l'adversaire derrière.

AMORTI : Fait de ralentir la course du ballon avec une partie du corps

Terme de soccer

La passe

Les différents types de passes entre coéquipiers et les mouvements de passe nets et précis peuvent propulser le ballon autour du terrain beaucoup plus vite que si tu cours avec lui. Une équipe qui passe bien réussira probablement à séparer les défenses et à créer des occasions pour marquer. Les passes peuvent varier en puissance et en distance, depuis les passes nettes courtes jusqu'aux passes longues qui traversent le terrain. Tu peux aussi les effectuer avec différentes parties de tes pieds.

Tu peux te servir de l'extérieur de ton pied pour effectuer une passe nette courte en faisant un mouvement de torsion brusque de ton pied à la hauteur de la cheville. Il s'agit d'une passe rapide utile pour un coéquipier se tenant à une courte distance de toi.

Le cou-de-pied de ta chaussure (où sont les lacets) peut servir à entrer en contact avec le ballon pour effectuer des passes courtes ou longues.

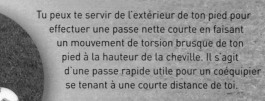

1 Pour effectuer une passe avec le côté du pied, place le pied inactif à côté du ballon et tourne la cheville afin que l'intérieur du pied qui frappe soit face au ballon.

2 Balance ta jambe vers l'avant sur le ballon. Vise à entrer en contact avec le centre du ballon – cela le garde au ras du sol pour que ton coéquipier puisse le contrôler facilement.

3 Alors que le ballon s'en va, ton pied devrait suivre la direction empruntée par le ballon. Essaie de garder ton corps au-dessus du ballon pendant la passe.

Avec beaucoup de pratique, tu seras capable d'évaluer la force dont tu as besoin pour frapper le ballon afin d'effectuer une passe. Cela est connu sous le terme «poids de la passe». Trop de poids, la passe sera difficile à contrôler. Pas assez de poids, elle pourrait ne pas atteindre ton coéquipier. Tu peux ajuster le poids de ta passe simplement en reculant le pied qui frappe à une distance plus ou moins longue et en frappant avec plus ou moins de puissance.

★ *Cours de maître* ★

Cesc Fabregas

Le talentueux milieu de terrain est un célèbre passeur de ballon avec les deux pieds, capable de jouer des passes courtes pour garder le ballon ou de jouer un ballon en attaque au bon moment pour créer un but. C'est la passe de précision effectuée par Fabregas à son coéquipier Andrés Iniesta qui a produit le but gagnant pour l'Espagne lors de la Coupe du monde 2010 contre les Pays-Bas.

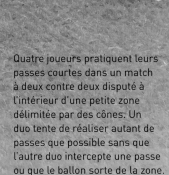

Quatre joueurs pratiquent leurs passes courtes dans un match à deux contre deux disputé à l'intérieur d'une petite zone délimitée par des cônes. Un duo tente de réaliser autant de passes que possible sans que l'autre duo intercepte une passe ou que le ballon sorte de la zone.

«*Si vous voulez réussir en tant que joueur de soccer, vous devez probablement pratiquer la passe simple sur le côté du pied chaque jour.*»

Gary Neville, ancien défenseur du Manchester United et d'Angleterre

Le placement de la passe est crucial. Ce joueur a visé le ballon à quelque distance devant son coéquipier afin qu'il puisse courir vers le ballon et derrière un adversaire. Apprendre quand effectuer une passe et le meilleur endroit où viser le ballon vient seulement avec la pratique et l'expérience.

INTERCEPTION : Action par laquelle l'adversaire prend le contrôle du ballon pendant qu'une équipe effectue une passe

Terme de soccer

Pour effectuer un coup avec le cou-de-pied, plante ton pied inactif à côté du ballon et garde le poids de ton corps au-dessus du ballon pendant que tu balances vers l'arrière ton pied qui frappe.

Pointe le pied qui frappe vers le bas en le balançant vers l'avant. Vise à frapper le centre du ballon avec les lacets de ta chaussure.

En gardant constamment les yeux sur le ballon, laisse ta jambe qui frappe suivre le mouvement en douceur. Le ballon devrait s'envoler vers sa cible.

La passe avancée

À part élargir ta gamme de passes à utiliser, l'élément le plus important dans le développement de tes habiletés à passer est d'apprendre à bien le faire avec les deux pieds. Chaque joueur de soccer commence en ayant un pied plus faible. Le secret est de faire travailler assidûment ce pied pour l'amener au niveau de ton pied le plus fort. Il est beaucoup plus facile d'affronter un joueur de soccer qui favorise un pied, car les défenseurs savent que leur adversaire ne peut frapper le ballon que d'un côté de son corps.

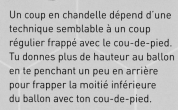

Un coup en chandelle dépend d'une technique semblable à un coup régulier frappé avec le cou-de-pied. Tu donnes plus de hauteur au ballon en te penchant un peu en arrière pour frapper la moitié inférieure du ballon avec ton cou-de-pied.

Pour effectuer une passe longue, donne un petit coup brusque avec ton cou-de-pied sur le bas du ballon.

Ta chaussure agit comme un levier. Le ballon devrait s'élever brusquement dans les airs sans aller très loin.

La plupart du temps, tu voudras garder le ballon au ras du sol afin qu'il traverse la surface du terrain en vitesse, mais parfois tu voudras envoyer le ballon plus haut. Une passe longue peut envoyer le ballon en pente raide dans les airs par-dessus un adversaire. Un lob est un coup puissant sur le ballon utilisé pour faire des avancées dans la surface de réparation de ton adversaire ou pour dégager le ballon très loin de ta propre surface de réparation.

Cet attaquant en blanc place son corps entre le ballon et un adversaire pour protéger le ballon avant de l'envoyer vers un coéquipier.

★ Cours de maître ★

Steven Gerrard

Le milieu de terrain de Liverpool et d'Angleterre, Steven Gerrard, joue la passe longue qui est sa marque de commerce pour lancer une attaque. Gerrard est très doué pour choisir ses coéquipiers autant avec des passes longues que des passes courtes. Il se sert également du cou-de-pied comme d'une puissante arme de frappe pour marquer de nombreux buts depuis l'extérieur de la surface de réparation.

Essaie de ne pas flâner avec le ballon et évite de laisser trop facilement deviner où ta passe ira. Joue avec la tête relevée et essaie d'effectuer des passes précises pour éviter le risque d'interception.

⚽ CONSEIL DE PRO

Plus ton éventail de passes est large, plus tu auras d'options pour jouer le ballon. Choisir le moment d'utiliser une passe particulière est encore plus essentiel. Pense d'abord à jouer sûr quand tu envoies le ballon hors du troisième tiers défensif du terrain et ne considère jamais cela comme un échec si tu choisis de passer latéralement ou vers l'arrière lorsque tu attaques. Il est important de conserver le ballon.

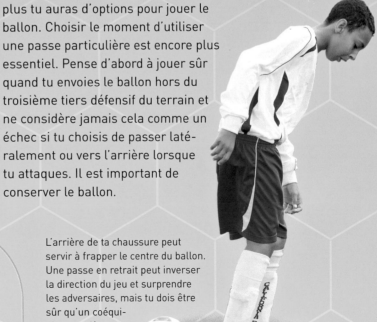

« Certaines équipes ne peuvent pas ou ne veulent pas passer le ballon. Pourquoi jouez-vous ? Quel est le but ? »

Xavi, milieu de terrain pour l'Espagne et Barcelone

L'arrière de ta chaussure peut servir à frapper le centre du ballon. Une passe en retrait peut inverser la direction du jeu et surprendre les adversaires, mais tu dois être sûr qu'un coéquipier sera là pour prendre le ballon.

CENTRE : Passe effectuée depuis l'une des ailes de la ligne l'attaque dans la surface de réparation

Terme de soccer

Jeu de tête

Environ un but sur cinq est marqué avec un coup de tête, mais le jeu de tête ne sert pas uniquement à l'attaque. Il constitue une part essentielle du jeu défensif et avec le ballon rebondissant très haut sur un sol ferme, les coups de tête peuvent être utilisés partout sur le terrain par chaque joueur. Même les gardiens de but peuvent utiliser des coups de tête pour dégager un ballon en hauteur lorsqu'ils sont à l'extérieur de leur surface de réparation.

Les coups de tête sont souvent dirigés vers le sol, vers les pieds d'un coéquipier ou droit vers le but. Dans ces cas-là, les joueurs tentent d'amener leur tête par-dessus le ballon et visent à entrer en contact avec lui juste au-dessus du milieu. Quand tu veux donner de la hauteur au ballon, par exemple pour l'envoyer vers le haut et par-dessus tes adversaires, vise juste sous le milieu du ballon.

Aligne-toi dans la direction du ballon, observe-le attentivement et bondis vers le ciel, en balançant tes bras en avant pour t'aider à sauter plus haut.

Un coup de tête défensif voit un joueur bondir plus haut qu'un adversaire. Frappe le ballon avec le front, mais vise la moitié inférieure du ballon pour le dégager puissamment en hauteur.

S'élevant au-dessus du ballon, cet attaquant a réussi à diriger son coup de tête vers le bas et dans le coin inférieur du but, de sorte qu'il est très difficile pour le gardien de but de réagir à temps.

Cette joueuse a effectué un coup de tête oblique en donnant un petit coup de tête de côté alors qu'elle entrait en contact avec le ballon afin de faire légèrement dévier sa trajectoire vers une coéquipière.

Regarde le ballon se diriger vers ta tête et rencontre-le avec une poussée du haut de ton corps et de la tête vers l'avant. Vise à ce que le contact ait lieu au milieu de ton front.

Garde les muscles de ton cou tendus quand tu entres en contact avec le ballon pour le repousser violemment. Plie les genoux pour t'aider à amortir ton atterrissage.

★ *Cours de maître* ★

Tim Cahill

Tim Cahill synchronise son saut pour donner un coup de tête parfait sur le ballon. Relativement petit pour un joueur de soccer professionnel, avec 1,78 m, le milieu de terrain australien est un maître du coup de tête sur le ballon à la fois en défense et en attaque. Son courage et son puissant bond l'amènent habituellement à attraper le ballon avant ses adversaires.

Le coup de tête plongeant est l'un des mouvements les plus spectaculaires au soccer. Ce joueur s'est propulsé pour attraper le ballon avant les défenseurs et il l'a fait obliquer vers le but.

Trouver de l'espace

L'espace donne aux joueurs le temps et l'occasion de contrôler le ballon et de développer l'attaque de leur équipe. Des poches d'espace libre apparaissent partout sur le terrain et les bons joueurs apprennent à repérer les endroits les plus attirants vers où se diriger. Se déplacer dans ces espaces peut disperser l'autre équipe ou créer un surnombre – un endroit sur le terrain où l'équipe attaquante a plus de joueurs que son adversaire en défense.

Ces attaquants en blanc utilisent la tactique 1-2. Le premier attaquant (le joueur le plus près de nous) effectue une passe courte à son coéquipier avant de courir rapidement dans l'espace derrière le défenseur afin de recevoir la passe de retour.

Se déplacer dans un espace n'est pas seulement une question de repérer un endroit libre prometteur sur le terrain, mais aussi de choisir le bon moment pour réaliser le déplacement. Essaie de toujours savoir où se trouvent le ballon et les autres joueurs et cherche à synchroniser ta course pour rester dans le jeu (voir page 48). Dès que tu as effectué une passe, assure-toi de te déplacer immédiatement et de chercher une nouvelle position favorable pour recevoir le ballon.

Synchroniser ta course pour te diriger vers le ballon dans l'espace derrière une défense est une tactique particulièrement bonne. Un joueur réalise une course de chevauchement derrière un défenseur et en descendant sur le bord du terrain. Son coéquipier pousse le ballon devant lui afin qu'il puisse le rejoindre dans sa course, derrière la défense adverse.

Cette attaquante à droite a repéré sa coéquipière effectuant une course en diagonale bien synchronisée dans l'espace. Avec une passe précise, elle peut envoyer le ballon par-dessus une joueuse adverse pour que sa coéquipière soit derrière la défense.

Te déplacer souvent dans l'espace signifie te libérer du marquage d'un adversaire. Tu ne devrais jamais jogger sans but d'un endroit à l'autre. Effectue plutôt des courses brusques, précises et décisives. Tu peux utiliser des changements de rythme pour te libérer de ton marqueur ainsi que feinter, par exemple abaisser ton épaule et prétendre te diriger d'un certain côté avant de te propulser en avant sur un pied et de courir dans une autre direction.

La joueuse en blanc tente de se libérer de sa marqueuse. Elle feint un mouvement à sa gauche en faisant un grand pas dans cette direction – la défenseuse la suit.

Dès qu'elle plante son pied gauche, elle l'utilise pour se donner une poussée et se déplacer rapidement à sa droite. La défenseuse a été prise de court par ce mouvement et laissée derrière.

Si tu cours dans l'espace mais ne reçois pas le ballon, ne traîne pas. Cherche plutôt d'autres espaces à occuper dès que tu le peux.

CONSEIL DE PRO

★ Cours de maître ★

Xavi

Jouant la tête levée comme toujours, le doué milieu de terrain espagnol est maître dans l'art de chercher un espace à la fois pour s'y placer et recevoir une passe et pour faire des passes à ses coéquipiers. Xavi a effectué plus de passes que tous les autres joueurs pendant la Coupe du monde 2010 (un total de 669) et il est un élément essentiel qui fait que son club, Barcelone, est l'une des meilleures équipes du monde.

Jouer des parties sur de petites parcelles de terrain et faire des exercices qui mettent l'accent sur les passes et les déplacements rapides t'aideront à améliorer ton habileté à jouer la tête levée, à repérer de l'espace et à t'y installer rapidement et de manière décisive.

Couverture du ballon et drible

Le ballon arrive souvent quand un adversaire est très près de toi. Tu peux garder possession du ballon en plaçant ton corps entre l'adversaire et le ballon. Cette technique s'appelle la couverture du ballon en drible. Courir avec le ballon en maintenant un contrôle serré est reconnu comme le drible. Cette technique peut être utile pour vaincre des défenseurs lorsqu'on attaque.

Le drible comporte le risque de perdre le ballon, il vaut donc mieux le tenter comme un jeu d'attaque seulement lorsqu'une bonne passe est possible. Essaie d'utiliser les deux pieds pour donner de petits coups et pousser le ballon, en le gardant juste un peu devant toi mais pas trop loin. Pour que le drible réussisse dans un match, il devrait être réalisé rapidement ou avec des changements brusques de vitesse et de direction.

Les ruses, les feintes et les jeux de déviations contribuent tous à former un dribleur qui a du succès. Cette dribleuse (en blanc) feint un déplacement vers sa droite, que suit la défenseuse.

Cette défenseuse plonge dans la direction où va la dribleuse selon elle. En même temps, la dribleuse passe son pied gauche autour du ballon pour le déplacer à sa gauche.

Avec le contrôle du ballon, la dribleuse s'éloigne brusquement à sa gauche. La défenseuse est déstabilisée et incapable de reprendre une bonne position défensive avant que la dribleuse la dépasse.

Quand tu couvres le ballon, en tout temps tu devrais savoir où se trouve ton adversaire. Reste sur les plantes de tes pieds afin de pouvoir bouger quand l'adversaire bouge et garde le corps et les bras écartés pour former un écran aussi large que possible. Garde le contrôle du ballon et pense à ton prochain mouvement, qu'il s'agisse d'un virage brusque ou d'une passe à un coéquipier.

Tu peux rester sur place pendant que tu couvres le ballon, mais si tu recules dans ton adversaire ou causes une obstruction, tu commets une faute.

★ Cours de maître ★

Lionel Messi

Le maître argentin Lionel Messi cache le ballon au défenseur grec Sokratis Papastathopoulos pendant une partie de la Coupe du monde 2010. Messi est relativement petit et léger, mais avec un excellent équilibre, une intelligence de jeu, le contrôle du ballon et du mouvement, il est capable de conserver le ballon et de dribler avec adresse en dépassant les défenseurs.

Si tu ne peux pas tourner pour dépasser un adversaire, continue à couvrir le ballon et cherche à effectuer une passe courte de transition à un coéquipier sur ton flanc ou derrière toi.

Pour compléter un passement de jambe, amène un pied d'un côté du ballon comme pour le frapper.

Au lieu d'entrer en contact avec le ballon, lève ton pied par-dessus et plante-le d'un côté.

Ensuite, sers-toi du second pied pour frapper le ballon dans l'autre direction, ce qui déroutera ton adversaire.

Pour alterner, tu peux réaliser un autre passement de jambe avec le second pied.

Un joueur pratique ses habiletés de contrôle serré par drible en faisant du slalom entre des poteaux avec le ballon. Une bonne façon d'apprendre de nombreux mouvements consiste à les pratiquer à vitesse de marche avant d'augmenter graduellement la cadence à mesure que tu t'améliores.

À l'entraînement

Bien que tu doives pratiquer tes habiletés personnelles chaque fois que c'est possible, les séances d'entraînement sont le moment de pratiquer avec d'autres sous l'œil de ton entraîneur. Cette personne peut te donner des cours sur les techniques clés pendant qu'avec tes coéquipiers tu travailles des exercices et des jeux difficiles et amusants, que tu apprends des jeux avec combinaisons, par exemple un coup de pied de coin ou un coup franc.

Un entraîneur, travaillant avec des joueurs, enseigne aux défenseurs de bonnes positions à prendre quand ils défendent un coin. Les bons entraîneurs organisent des séances variées et intéressantes contenant différents exercices et jeux pour te mettre au défi et améliorer tes habiletés.

Participer à des séances d'entraînement de soccer régulières améliorera ta forme physique et ton endurance et te donnera l'occasion de pratiquer les passes, les déplacements, les techniques de défense et d'attaque avec d'autres joueurs dans des situations de jeu réalistes. Développer tes habiletés individuelles de base entre les séances d'entraînement t'aidera à améliorer rapidement ta technique et ton adresse.

L'entraînement peut donner soif, assure-toi donc de boire souvent de petites gorgées d'eau dans une bouteille pendant les pauses.

Aborde l'entraînement comme un match, en t'échauffant et en t'étirant bien et en t'engageant ensuite à fond dans chaque portion de la séance. Concentre-toi sur chaque exercice et écoute toujours ton entraîneur. Si tu ne comprends pas une étape, demande-lui de te l'expliquer.

Cet attaquant pratique son coup de pied de réparation pendant que le gardien pratique ses arrêts en plongeant.

Les parties disputées sur une petite zone du terrain t'aideront à améliorer ton contrôle serré et ton processus de décisions sous pression. Ici, des joueurs jouent une partie simple à deux contre deux pendant laquelle chaque équipe tente de conserver le ballon aussi longtemps que possible pendant que leurs adversaires essaient de s'emparer du ballon en usant de tacles et en interceptant des passes.

Cette joueuse pratique ses tirs au but en mouvement. On lui passe le ballon, elle court vers lui et vise les coins du but entre les montants et les cônes.

Terme de soccer **COMBINAISON :** Mouvement de relance de jeu tel que le coup franc, le coup de pied de coin ou la rentrée de touche

Reprise de volée et passe brossée

Une reprise de volée est un coup frappé sur le ballon pendant qu'il est dans les airs. Il peut être puissant lorsqu'il est bien réalisé, mais c'est l'une des habiletés les plus difficiles à acquérir. Des reprises de volée moins vigoureuses peuvent être effectuées pour amortir une passe courte à un coéquipier ou diriger le ballon dans un filet désert pour marquer.

Pour effectuer une reprise de volée, penche-toi en t'écartant un peu du ballon pendant que tu déplaces tes bras vers l'extérieur et balance ta jambe vers le haut jusqu'à la hanche.

Pour réaliser une reprise de volée de face, balance la jambe qui frappe vers l'arrière et vers le haut en écartant les bras pour garder ton équilibre.

En gardant la tête au-dessus du ballon, pointe le pied vers le sol avant de frapper le ballon avec le cou-de-pied de ta chaussure.

Balance ta jambe en lui faisant suivre la direction de ta cible.

Amène ton pied par-dessus le ballon afin que ton cou-de-pied entre en contact avec sa moitié supérieure si tu veux garder le ballon bas ou juste sous son centre si tu effectues un dégagement défensif.

Les reprises de volée sont habituellement utilisées lorsqu'il y a peu de temps pour faire tomber le ballon au sol et le contrôler. Cela se produit en attaque et en défense lorsque tu dois réaliser un dégagement rapide. Le secret de toutes les reprises de volée est de bien observer le ballon et de synchroniser ton balancement de jambe avec la vitesse et la direction du ballon en approche.

Pour effectuer un coup de pied retourné, saute en arrière sur une jambe et balance l'autre vers le haut et sur le côté pour frapper le ballon avec ton cou-de-pied lorsque le ballon atteint sa hauteur maximum. Essaie de te détendre en tombant et roule sur tes épaules pour absorber le choc.

« Assure-toi que ton pied inactif est fermement planté au sol. Sinon, tu pourrais être déséquilibré. »

Alfred Galustian, conseiller technique, English Premier League

En suivant le mouvement, cherche à reposer le pied sur le sol et à rétablir ton équilibre aussi vite que possible.

Pour effectuer une passe brossée intérieure avec ton pied droit, plante ton pied gauche loin du ballon. Sers-toi de l'intérieur de ton pied pour frapper le côté droit au dos du ballon. Vise à suivre le mouvement en ligne droite avec ta jambe pour donner au ballon une courbe vers la gauche.

★ Cours de maître ★

Samir Nasri

Ce dynamique milieu de terrain français est maître dans l'art de détourner le ballon, soit en envoyant une passe brossée à un coéquipier, soit en lâchant un super tir au but brossé. Après avoir joué plus de 120 fois pour le club français Marseille, Nasri a eu trois belles saisons avec l'Arsenal avant de passer à Manchester City pour vingt-cinq millions de livres sterling.

Frapper le dos et un côté du ballon avec une partie précise de ta chaussure peut faire pivoter le ballon en l'envoyant tournoyer dans les airs. Cela peut être utile non seulement pour détourner le ballon d'un mur défensif pendant un coup franc, mais aussi pour le faire traverser dans la surface de réparation avec une trajectoire courbe vers le but ou à l'opposé de celui-ci.

Souviens-toi qu'effectuer une passe brossée le long de la ligne de touche peut envoyer le ballon au-delà d'un adversaire, mais si tout le ballon la traverse pendant qu'il est dans les airs, l'autre équipe aura droit à une rentrée de touche.

CONSEIL DE PRO

Pour effectuer une passe brossée extérieure, utilise l'extérieur de ta chaussure droite pour frapper le dos du ballon sur le côté gauche. Le pied qui frappe devrait se balancer vers le haut et de l'autre côté de ton corps alors que le ballon virera à droite.

Terme de soccer   **PASSE BROSSÉE :** Fait de dévier la trajectoire d'un ballon. On effectue une passe brossée en frappant le ballon avec un côté du pied afin qu'il tourne sur l...

Une équipe attaquante cherchera à amener un joueur en position pour marquer un but. Parfois, un brillant coup d'éclat individuel peut provoquer un but. Cependant, les buts sont habituellement le résultat d'un effort de l'équipe, les joueurs travaillant de concert afin de créer de l'espace pour leurs coéquipiers ou pour lâcher une nouvelle attaque avec une passe en profondeur derrière la défense.

Le joueur avec le ballon affronte une surface de réparation bondée. Ses coéquipiers cherchent à effectuer des courses d'attaque en diagonale, en restant à l'extérieur jusqu'à ce que le ballon soit joué.

L'attaquant à gauche, sprintant d'un côté, attire son défenseur avec lui et crée un espace pour l'attaquant avec le ballon afin qu'il puisse réaliser une passe en profondeur dans le vide créé.

Attaquer

Les bonnes équipes comme les bons joueurs tentent d'utiliser toutes les parties du terrain pour lancer et développer des attaques. Par exemple, en passant le ballon largement à l'extérieur depuis le centre du terrain, tu peux chercher à le faire traverser dans la surface de réparation. Cela peut disperser la défense de l'équipe adverse, en créant potentiellement des vides où les joueurs peuvent courir.

Tu peux parfois vaincre un adversaire sans drible en poussant le ballon plus loin que lui et en courant très vite pour reprendre le contrôle du ballon. C'est le long des lignes de touche du terrain que cela fonctionne le mieux, quand il n'y a pas de défenseur couvrant l'endroit à proximité.

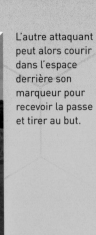

3

L'autre attaquant peut alors courir dans l'espace derrière son marqueur pour recevoir la passe et tirer au but.

★ *Cours de maître* ★

Mesut Özil

Mesut Özil effectue une passe pour séparer la défense pendant la partie victorieuse de 4 à 0 de l'Allemagne contre l'Australie à la Coupe du monde 2010. Özil est un palpitant milieu de terrain qui a le sens des passes en profondeur, des passes de centre depuis les zones extérieures et des percées soudaines à travers la défense adverse. Après s'être démarqué à la Coupe du monde, Özil est passé du Werder Bremen au club Real Madrid d'Espagne.

Cette attaquante a couru vers le but après le tir d'une coéquipière. Par conséquent, elle se trouve en excellente position pour attaquer à la suite d'une erreur de la gardienne de but et enfoncer le ballon dans le filet.

Cet attaquant avec le ballon a repéré un bon espace derrière la défense adverse. Il peut envoyer le ballon en diagonale à travers le terrain afin que son coéquipier à l'autre extrémité puisse reprendre le ballon dans sa course.

PASSE EN PROFONDEUR : Passe faite à un coéquipier derrière la ligne de défense de l'équipe adverse

Terme de soccer

Marquer des buts

Marquer des buts est un plaisir, mais cela demande une grande habileté. Cela exige des réactions promptes, une prise de décision calme et une grande conscience du jeu qui se déroule autour de toi. Bien qu'en moyenne les buteurs aient plus d'occasions de marquer, tous les joueurs de champ devraient pratiquer leur tir au but parce que les défenseurs et les milieux de terrain ont souvent l'occasion de marquer dans des matchs serrés.

Différentes situations exigent différents types de tir, mais essaie de ne pas frapper le ballon à outrance, même sur des coups à plus longue distance vers le but, et assure-toi que ton coup atteint sa cible. Travaille dur pour perfectionner ton tir avec les deux pieds. Cela te donnera plus d'occasions de frapper et empêchera un défenseur de t'obliger à te servir de ton pied le plus faible.

★ Cours de maître ★

Birgit Prinz

Birgit Prinz célèbre le but qu'elle a marqué pour son équipe, le Frankfurt FFC. La machine à buts allemande a marqué plus de 120 fois pour son pays, plus de 200 fois pour son club et elle est la meilleure marqueuse de tous les temps de la Coupe du monde des femmes avec 14 buts. Elle a aussi été nommée Joueuse mondiale de l'année trois fois par la FIFA.

Quand tu affrontes uniquement la gardienne de but, tu peux essayer un drible pour contourner une joueuse, envoyer un tir avant que la gardienne avance vers toi ou, comme cette joueuse l'a fait, effectuer une passe longue de précision, en envoyant le ballon par-dessus la gardienne en plongeon et vers le but.

Ne sois pas bouleversé si tu ne réussis pas à marquer. Les joueurs de haut niveau ratent des occasions, mais ils sont solides mentalement. Essaie de chasser les erreurs de ton esprit et reviens immédiatement dans le jeu.

CONSEIL DE PRO

Ce joueur a d'abord essayé de tirer au but mais le ballon a rebondi sur un défenseur ; en suivant son propre coup rapidement, le joueur atteint le ballon le premier. Près du but, il opte pour le positionnement au lieu de la puissance en effectuant une passe latérale dans le filet.

Si tu es en bonne position pour tirer, à l'intérieur de ta zone de tir et avec une vision dégagée sur le but, n'hésite pas – tire ! Le soccer est un sport rapide et, en une seconde, les défenseurs vont t'encercler. Choisis le type de tir que tu veux effectuer, vise loin du gardien et essaie de garder ton corps au-dessus du ballon pour garder le tir bas.

Il y a de nombreux exercices différents dont tu peux te servir pour pratiquer tes habiletés de tir au but. Ici, une joueuse essaie de contrôler le ballon dos au but.

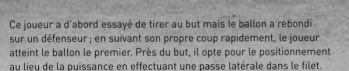

Les réactions rapides et la vigilance près du but peuvent faire la différence. Le joueur à gauche pourrait tirer le ballon à gauche du gardien ou le passer à un coéquipier en meilleure position de marquer.

Une fois qu'elle contrôle le ballon, elle doit se tourner rapidement et effectuer un tir précis au-delà de la gardienne de but.

Défendre

La défense est la tâche de chaque joueur de l'équipe et pas uniquement celle du gardien de but et des défenseurs. Une équipe bien organisée, avec tous ses joueurs qui travaillent dur les uns pour les autres, prive l'équipe adverse de temps et d'espace pour former de bonnes attaques. Quand tu défends, tu as deux objectifs : empêcher la création d'occasions de marquer un but et reprendre possession du ballon pour ton camp.

La défense commence à l'avant avec cette attaquante en blanc poursuivant et harcelant une défenseuse avec le ballon. Une pression comme celle-là peut entraîner une défenseuse à commettre une erreur et redonner le ballon à ton équipe.

Dans certaines équipes, chaque défenseur reçoit l'instruction de son entraîneur de protéger une région du terrain, une technique connue sous le nom de marquage de zone. La plupart des équipes juniors préfèrent le marquage individuel où chaque défenseur et certains milieux de terrain ont la responsabilité de rester près d'un adversaire en particulier. Ils restent proches pendant que leurs adversaires se déplacent pour les priver du temps et de l'espace pour recevoir le ballon.

Ce marqueur en jaune reste alerte et bouge avec son adversaire, en restant sur les plantes de ses pieds afin de pouvoir se déplacer dans n'importe quelle direction. Il reste en tout temps entre son adversaire et le but.

Alors qu'un adversaire tire, le défenseur place son corps et ses jambes sur la trajectoire du ballon afin de le bloquer. Quand tu bloques un tir, essaie de garder tes mains près de ton corps pour éviter une faute de main.

Ce défenseur a manœuvré pour se placer avantageusement par rapport à son adversaire, retardant son déplacement vers le but pendant qu'un coéquipier arrive pour fournir une couverture défensive. Une fois son coéquipier présent, le défenseur pourra choisir de charger son adversaire pour obtenir le ballon.

Harceler, c'est marquer un joueur de très près et retarder sa progression dans une attaque. Place-toi en bonne position défensive à un ou deux mètres devant ton adversaire, les genoux pliés, les yeux sur le ballon, et essaie de garder cette distance en reculant sur le mode du zigzag. Si possible, essaie d'entraîner ton adversaire à l'écart du but.

Dégager le ballon peut soulager la pression sur ton équipe. Si tu as du temps de ballon, cherche à effectuer une passe de précision à un coéquipier profitant de beaucoup d'espace. Si le temps manque, cherche à frapper le ballon vers l'avant du terrain.

Cette défenseuse en jaune est mise sous pression par deux attaquantes. Elle n'a d'autre solution que de frapper le ballon hors jeu au-delà de la ligne de touche, s'accordant ainsi le temps de se remettre en position.

« *Restez sur vos pieds, ne plongez pas – la défense consiste à choisir le bon moment.* »

Rio Ferdinand, défenseur du Manchester United et de l'Angleterre

PRENDRE POSITION CÔTÉ BUT : Placer ton corps entre le but et le ballon ou un adversaire

Terme de soccer

Charger pour le ballon

Le but de charger pour le ballon est d'en reprendre possession pour ton équipe. Cela n'est pas toujours possible, mais toute charge devrait au moins tenter de ralentir l'attaque d'un adversaire. Une charge idéale se termine quand tu repars avec le ballon, prêt à transformer une défense en attaque.

Ce défenseur s'est servi de sa vitesse pour passer devant un adversaire avec le ballon. Bousculer un joueur avec l'épaule est illégal, mais certains contacts entre les épaules des joueurs sont acceptables.

★ Cours de maître ★

Maicon

Le défenseur brésilien Maicon synchronise parfaitement un tacle glissé pour déposséder le milieu de terrain américain DaMarcus Beasley. Fort et déterminé lorsqu'il charge pour le ballon, Maicon cherche à en reprendre possession et à transformer une défense en attaque chaque fois que possible. Splendide défenseur pour son club, l'Inter Milan, il a été élu Défenseur de club de l'année en 2010 par l'UEFA.

Essaie de charger lorsque des coéquipiers fournissent une couverture entre toi et le but. Parfois, un défenseur peut arriver en courant et intercepter le ballon sans tacle. Si tu dois effectuer une charge, essaie de rester sur tes pieds et assure-toi d'entrer en contact avec le ballon et non avec ton adversaire.

La défenseuse en jaune cherche à effectuer un tacle de face. Elle établit une base ferme et basse dans une position solide, la jambe de soutien légèrement pliée au genou. Ses yeux surveillent le ballon et non la joueuse pendant qu'elle choisit le bon moment pour sa charge.

Elle se sert de l'intérieur de sa chaussure pour donner un coup puissant sur le milieu du ballon, en se penchant pour donner du poids à sa charge au moment de l'impact. Avec tout le poids de son corps dans le tacle, le ballon est libéré et elle réagit rapidement pour en prendre le contrôle.

Avec les tacles, tu mets tout le poids de ton corps au service d'un coup ferme sur le ballon avec l'intérieur de ta chaussure. Le ballon peut parfois se coincer entre ton pied et celui de ton adversaire. Dans ce cas, le premier à soulever ou à faire rouler le ballon par-dessus le pied de l'autre gagne souvent la possession du ballon.

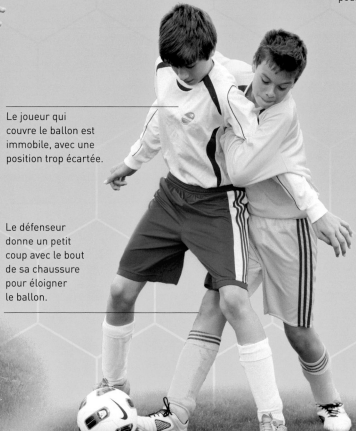

Le joueur qui couvre le ballon est immobile, avec une position trop écartée.

Le défenseur donne un petit coup avec le bout de sa chaussure pour éloigner le ballon.

Quand un adversaire couvre le ballon, cherche des occasions d'en reprendre possession, de mettre la pression sur ton adversaire pour qu'il commette une faute ou de déplacer le ballon hors de son contrôle – mais fais attention à ne pas toi-même commettre une faute. Ce défenseur a réussi à pousser son pied entre les jambes de l'attaquant et à donner un petit coup pour libérer le ballon.

Un tacle peut être réalisé sur le côté avec une technique semblable au tacle de face. Synchronise ton approche, fais face à ton adversaire et plie ta jambe de soutien au genou avant de frapper le ballon ferme-ment avec l'intérieur de ta chaussure.

Terme de soccer   UEFA : Comité directeur du soccer en Europe

Jeu du gardien de but

Bien garder le but est autant une question de vigilance et de position que d'arrêts spectaculaires. En tant que gardien de but, tu es le joueur défensif principal de ton équipe. Tu as la responsabilité de l'organisation des combinaisons pour ton équipe, par exemple les coups de pied de coin et les coups francs, et de la défense lorsque l'équipe adverse réussit une percée avec le ballon. Tu dois aussi donner des conseils et des instructions à tes coéquipiers en t'assurant qu'ils sont exprimés clairement et d'une voix forte.

La garde du but commence en position d'attente où tu es en équilibre avec ton poids réparti également sur les plantes de tes pieds, les genoux légèrement pliés. De cette position, tu peux bouger facilement et rapidement dans toutes les directions, réagir pour te déplacer en ligne avec le ballon afin de bloquer un tir, sauter rapidement vers un coup dévié, prendre le ballon dans les règles ou courir vers l'avant pour le dégager d'un coup de pied.

Ce gardien est en bonne position d'attente avec les mains levées et écartées, la tête droite et les yeux fixés sur le ballon et le jeu devant lui.

Reste à l'affût d'une passe vers l'arrière d'un coéquipier. Si le ballon revient vers toi, tu peux l'attraper, mais s'il a reçu un coup de pied, tu ne peux pas le ramasser. Si tu es sous pression, pense d'abord à jouer sûr et propulse le ballon hors jeu d'un coup de pied.

CONSEIL DE PRO

Pour ramasser un ballon qui roule sur le terrain ou passe juste au-dessus du sol, aligne-toi sur la trajectoire du ballon, tombe sur un genou et ramène le ballon sur ta poitrine. Ta jambe et ton corps agissent comme une barrière derrière tes mains.

Pour attraper un ballon haut, bondis sur un pied et allonge les bras vers le ciel. Vise à l'attraper devant toi, en plaçant tes mains sur les côtés et le dos du ballon.

★ Cours de maître ★

Gianluigi Buffon

Le gardien de but italien garde les yeux sur le ballon pendant qu'il s'étire pour faire dévier un tir de l'autre côté de son montant. Buffon est devenu le gardien de but le plus coûteux lorsqu'il est passé de Parma à Juventus pour 32,6 millions de livres sterling en 2001. Son calme sous la pression et son expertise en matière de position lui permettent de stopper de nombreuses attaques.

Les tirs par au-dessus sont utilisés pour lancer le ballon rapidement sur des distances moyennes et longues. À partir d'une position large de côté pour l'équilibre, amène ton bras lanceur en avant par-dessus ta tête et libère le ballon. Ton autre bras devrait pointer vers ta cible.

Pour faire rouler le ballon avec précision à l'extérieur sur de courtes distances, baisse-toi fortement avec le pied de devant pointant vers la cible. Lance le ballon avec un mouvement ferme du bras par en dessous.

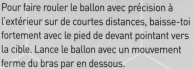

Si tu penses ne pas pouvoir attraper franchement un ballon haut, tu peux le frapper à deux mains pour le dégager. Vise à frapper le dos du ballon et à l'envoyer en avant et en haut, hors de ta surface de réparation.

Pour réaliser un coup de pied tombé, tiens le ballon avec les bras tendus devant toi, lâche-le et vise à le frapper avec le cou-de-pied de ta chaussure juste avant qu'il n'atteigne le sol.

Pour attraper un ballon à la hauteur de la taille, ramène-le vers ton corps. Amortis son arrivée en te penchant et en repliant ton corps sur le ballon.

Jeu avancé du gardien de but

Parfois, une bonne position ne suffit pas et un attaquant adverse surgit brusquement devant le but. C'est dans ces moments-là qu'un gardien de but doit avoir du courage, une puissante agilité et une bonne technique pour réussir un arrêt crucial. Dans ces situations, les gardiens de but doivent être rapides et déterminés. S'ils échouent à atteindre le ballon en premier et heurtent l'attaquant ou trébuchent sur lui, ils recevront une pénalité en faveur de l'adversaire et pourront se voir montrer une carte rouge.

Plonger aux pieds d'un adversaire peut être une expérience angoissante, alors pratique-toi en douceur pendant l'entraînement pour développer ta confiance. Dans une situation de jeu, une fois que tu décides d'aller au sol, attaque le ballon. Garde les yeux sur lui et non sur l'adversaire et essaie d'allonger tes membres, pour créer une longue barrière sur le sol. Mets les mains sur le ballon et enroule ton corps autour de lui pour une protection supplémentaire.

Si tu repères l'envol d'un ballon se dirigeant d'un côté de toi, tu seras peut-être obligé d'effectuer un arrêt plongeant. Essaie de faire de petits pas très rapides dans cette direction et commence à plier le genou le plus près de ce côté.

Transfère le poids de ton corps sur le genou plié et repousse fortement le sol avec ce pied pour bondir vers le haut et l'autre côté de ton but. Garde les yeux sur le ballon et la trajectoire qu'il suit.

Avec un gardien de but qui reste sur sa ligne, un attaquant avec le ballon peut viser dans tout le but. Le gardien aura de la difficulté si l'attaquant tire dans les coins.

La réduction de l'angle est une technique essentielle pour diminuer l'espace du but où un adversaire peut envoyer le ballon. Tu dois sortir de ton but, mais te placer le long d'une ligne imaginaire allant du ballon au centre de ton but.

Tous les gardiens de but ont un côté fort et un côté faible et des arrêts préférés. Travaille ardemment ton côté faible et les arrêts que tu aimes moins pour les élever au même niveau que tes autres habiletés.

CONSEIL DE PRO

Ce gardien a quitté sa ligne pour diminuer l'angle et il a écarté ses bras et allongé son corps pour paraître le plus gros possible. Les attaquants voient beaucoup moins le but et, par conséquent, ils pourraient effectuer un tir mal dirigé.

Quand tu plonges au sol, allonge tes deux bras et place-les un peu devant toi afin de voir le ballon arriver directement dans tes mains. Elles devraient être bien écartées, mais assez proches l'une de l'autre pour être prêtes à agripper les côtés et l'arrière du ballon.

Une fois le ballon attrapé, rapproche-le de ton corps et prépare-toi à atterrir. Essaie d'atterrir sur le flanc, en t'en servant comme amortisseur ou coussin lorsque tu frappes le sol pour empêcher le ballon de quitter tes mains à cause d'une secousse.

CARTE ROUGE : Carte montrée par un arbitre qui expulse un joueur du terrain pour une faute grave.

Les règles du jeu

Les règles du soccer sont appliquées sur le terrain par l'arbitre et ses deux assistants, qui communiquent avec lui à l'aide de signes effectués avec des drapeaux. L'arbitre doit décider si une faute a été commise et déterminer quelle équipe a touché le ballon en dernier lorsqu'il accorde des coups de pied de coin, des rentrées de touche et des coups de pied de réparation. Ne discute jamais l'appel d'un arbitre – la décision d'un arbitre est définitive.

Les arbitres peuvent discipliner les joueurs individuellement en montrant une carte jaune pour une gamme d'infractions, y compris les fautes, se disputer avec l'arbitre et empêcher la relance du jeu. Des infractions plus graves attirent la carte rouge. Dans ce cas, le joueur fautif quitte le terrain et son équipe doit continuer à jouer avec moins de joueurs.

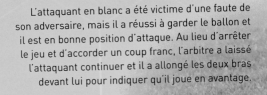

L'attaquant en blanc a été victime d'une faute de son adversaire, mais il a réussi à garder le ballon et il est en bonne position d'attaque. Au lieu d'arrêter le jeu et d'accorder un coup franc, l'arbitre a laissé l'attaquant continuer et il a allongé les deux bras devant lui pour indiquer qu'il joue en avantage.

Avec son équipe en tête, ce gardien de but a retenu le ballon plus de dix secondes. Il est coupable d'avoir retardé la relance du jeu – connu comme une perte de temps volontaire – et l'arbitre lui lance un avertissement en montrant la carte jaune. Si on montre deux cartes jaunes à un joueur pendant une partie, la carte rouge suit et il doit quitter le terrain.

Faire semblant d'avoir été victime d'une faute s'appelle une simulation. Dans ce cas, l'arbitre signale l'avantage alors que le joueur plongeant n'a pas subi de faute. Il peut aussi accorder un coup franc à l'adversaire.

Rentrée de touche

Changement en cour

Hors jeu

Un joueur est hors jeu si, alors que le ballon est joué par un coéquipier, il est plus près de la ligne de but adverse que le ballon et l'avant-dernier adversaire. Tu ne peux pas être hors jeu si tu reçois le ballon directement par une rentrée de touche, un coup de pied de coin ou un coup de pied de réparation. Si tu es hors jeu, l'arbitre accordera un coup franc indirect à l'autre équipe.

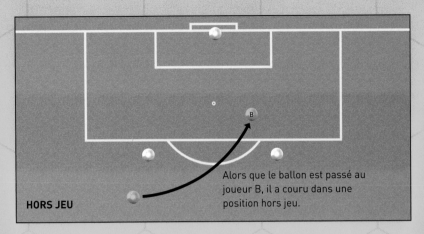

HORS JEU

Alors que le ballon est passé au joueur B, il a couru dans une position hors jeu.

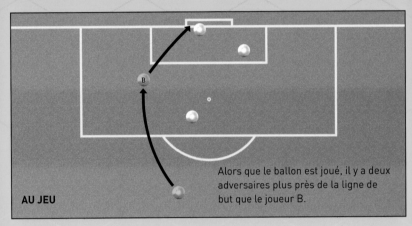

AU JEU

Alors que le ballon est joué, il y a deux adversaires plus près de la ligne de but que le joueur B.

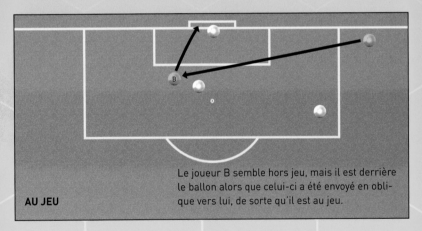

AU JEU

Le joueur B semble hors jeu, mais il est derrière le ballon alors que celui-ci a été envoyé en oblique vers lui, de sorte qu'il est au jeu.

Pénalité

Coup franc indirect

Carte rouge

Coup de pied de coin

Coup de pied de réparation

AVANTAGE : Quand un arbitre laisse la partie continuer après un bris de règle

Terme de soccer

Les rentrées de touche sont accordées lorsque le ballon traverse les lignes de touche du terrain. Un joueur doit garder les deux mains sur le ballon pendant le lancer et ses pieds doivent être sur la ligne de touche ou derrière elle. Arque le dos et projette tes bras et ton corps vers l'avant, puis relâche le ballon avec un petit mouvement rapide de tes doigts.

Pour une rentrée de touche, ramène tes bras, avec tes mains écartées à l'arrière et sur les côtés du ballon, au-dessus et derrière ta tête et garde les deux pieds au sol.

Projette le haut de ton corps vers l'avant et tes bras au-dessus de ta tête. Relâche le ballon avec un petit mouvement rapide des poignets et des doigts pour aider à diriger le ballon.

Ce joueur commet un lancer fautif parce qu'il a marché au-delà de la ligne de touche. Lever un pied du sol ou ne pas ramener le ballon derrière sa tête sont d'autres causes de lancers fautifs.

Relancer le jeu

Le jeu s'arrête pour un certain nombre de raisons – par exemple, si le ballon quitte la zone de jeu au-delà de la ligne de but ou de touche ou si un arbitre stoppe la partie pour une blessure ou une faute. Le match est relancé de plusieurs façons. Ce sont d'excellentes occasions pour ton équipe de former une attaque. Pour cette raison, les mouvements incluant des coups de pied de coin et des rentrées de touche font souvent partie de l'entraînement pour une équipe.

Les rentrées de touche réussies dépendent de la coopération entre les coéquipiers pour assurer la possession du ballon. Ici, la tactique de simulation pour la rentrée de touche voit un coéquipier sprinter vers le lanceur, ce qui attire le défenseur avec lui. Cela crée un espace derrière pour l'autre attaquant qui peut courir afin de recevoir le ballon lancé.

La plupart des coups de pied de coin visent la zone de but afin que les attaquants tentent de se diriger vers le but. Le joueur qui effectue le coup de pied de coin doit déjouer le premier défenseur, qui est souvent placé devant le montant à proximité. Les joueurs doués pour les coups de pied de coin visent à donner un très bon rythme au ballon, car la plus légère déviation peut le propulser vers le but.

En détournant le ballon (voir page 27), tu peux le faire dévier loin du but (coin sortant) ou vers le but (coin entrant). Les deux peuvent être dangereux. Un coin sortant éloigne du gardien et se dirige vers les attaquants courant dans la surface de réparation.

Les coups de pied de coin sont accordés lorsque le ballon quitte une extrémité ou l'autre du terrain et que l'équipe en défense a été la dernière à y toucher. Le ballon doit être placé à l'intérieur du quart de cercle du coin et les adversaires doivent reculer d'au moins 9,1 m. Le joueur qui effectue le coup de pied de coin a de nombreuses possibilités, y compris passer le ballon sur le sol à un coéquipier courant vers le devant de la surface de réparation ou frapper un centre haut profondément à l'intérieur de la zone de but.

Les coups de pied de coin réussis dépendent à la fois d'une bonne exécution et de courses bien synchronisées des attaquants dans la surface de réparation. Ici, deux attaquants à droite synchronisent leur course dans la boîte pour arriver au coin juste au bon moment. Une autre solution consiste à jouer un coup de pied de coin court visant le bord de la surface de réparation pour prendre l'autre équipe par surprise.

Les ballons à terre sont utilisés pour relancer la partie après certains arrêts. L'arbitre se tient entre un joueur de chaque équipe et lâche le ballon. Les joueurs peuvent charger le ballon dès qu'il touche le sol.

Fautes et coups francs

Il y a habituellement un peu de contact dans une partie de soccer. Cependant, quand une équipe gagne un avantage injuste en enfreignant une règle, par exemple en étant surprise hors jeu, l'arbitre arrêtera le jeu avec un coup de sifflet et accordera un coup franc à l'équipe adverse.

Les arbitres accordent deux types de coup franc – indirect et direct. Un gardien de but manipulant une passe arrière ou un joueur entraînant un jeu dangereux auront pour conséquence un coup franc indirect. Ici, le ballon doit être touché par un joueur avant qu'un second puisse tirer au but. Un coup franc direct peut être tiré au but et il est accordé pour des fautes où un joueur pousse un adversaire, le fait trébucher ou lui donne un coup de pied.

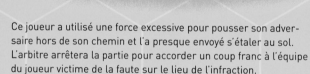

Ce joueur a utilisé une force excessive pour pousser son adversaire hors de son chemin et l'a presque envoyé s'étaler au sol. L'arbitre arrêtera la partie pour accorder un coup franc à l'équipe du joueur victime de la faute sur le lieu de l'infraction.

Un certain contact est souvent inévitable pendant un tacle, mais si le joueur entre en contact avec un adversaire avant d'avoir frappé le ballon, l'arbitre signalera une faute.

Un joueur qui manipule délibérément le ballon ou allonge un bras pour bloquer la voie est coupable d'une faute de main. L'arbitre accordera un coup franc.

Tirer sur le maillot d'un adversaire pour nuire à son mouvement ou poser tes mains sur son corps pour le tirer ou le retenir sont des fautes.

S'étant vu accorder un coup franc, ce joueur vigilant place le ballon et cherche des occasions de frapper un coup franc rapide. Il peut effectuer une passe en avant à un coéquipier et lancer une attaque avant que l'autre équipe puisse se regrouper.

Un arbitre et ses assistants tentent de prendre la bonne décision à tous les coups, mais ils ne sont pas toujours en bonne position pour juger une fraction de seconde d'action. Accepte toujours les décisions des officiels et ne discute jamais. À la place, retire-toi rapidement vers une bonne position défensive au cas où tes adversaires réaliseraient un coup franc rapide.

★ *Cours de maître* ★

Cristiano Ronaldo

Avec son rythme fou et sa ruse, l'ailier portugais Cristiano Ronaldo entraîne souvent ses adversaires à accorder des coups francs pour leurs fautes. C'est aussi un expert pour les effectuer. Des milliers d'heures de pratique ont donné à Ronaldo une gamme de mouvements pour réaliser ses coups francs, y compris des tirs violemment frappés qui dévient et baissent subitement en volant vers le but.

Dès qu'un coup franc est accordé contre ton camp, retire-toi à au moins 9,1 m du ballon. Si tu ne le fais pas, l'arbitre pourrait te montrer une carte jaune.

Un coup franc attaquant affronte habituellement un mur de joueurs défensifs placés pour protéger une bonne partie du but. Le joueur qui effectue le coup franc pourrait chercher à détourner le ballon vers le haut et de côté ou sur le bord du mur vers le but. Autrement, il pourrait choisir de passer le ballon d'un côté, pour contourner le mur, afin qu'un coéquipier puisse profiter d'un coup dégagé sur le but.

MUR : Rangée de défenseurs protégeant leur but contre un coup franc

Terre de soccer

Pénalités

Une faute ou une infraction par une équipe en défense à l'intérieur de sa surface de réparation, par exemple une faute de main délibérée, aura comme conséquence un coup de pied de réparation accordé par l'arbitre. C'est une occasion splendide de marquer, avec le ballon placé à seulement 11,1 m du but et avec uniquement le gardien de but à vaincre. Malgré cela, plusieurs coups de pied de réparation sont ratés à cause d'une technique défaillante ou d'un arrêt spectaculaire.

Un gardien de but se tient sur les plantes de ses pieds, prêt à bondir alors que la pénalité a lieu. Un gardien peut se déplacer sur sa ligne de but avant que le coup de pied soit donné, mais il ne doit pas s'avancer.

Un défenseur a gravement fauté et il a fait tomber un attaquant qui était sur le point de tirer à l'intérieur de la surface de réparation. L'arbitre accorde un coup de pied de réparation à l'équipe attaquante et il pourrait montrer une carte rouge au défenseur.

Jouer un coup de pied de réparation est un exercice de conservation de son calme et d'utilisation d'une bonne technique. Décide du type de coup de pied de réparation que tu veux effectuer avant de prendre ton élan et tiens-t'en à cela. Assure-toi d'amener ton corps au-dessus du ballon et frappe-le au milieu – cela aidera à garder le ballon près du sol et sur la cible.

Dépose avec précaution le ballon sur le point de réparation, en lissant toute motte de gazon autour du ballon, et mesure la distance de ton élan avec tes pieds. Essaie de bloquer toute distraction et concentre-toi sur l'endroit où tu as l'intention d'envoyer le ballon.

Ce joueur qui donne le coup de pied de réparation effectue une passe solide avec le côté du pied pour contrôler le ballon et l'envoyer dans l'un des coins – difficile à atteindre pour n'importe quel gardien. D'autres joueurs choisissent de frapper le ballon avec un tir du cou-de-pied pour sa puissance.

Des séances de coups de pied de réparation sont utilisées pour déterminer le gagnant dans certaines compétitions de séries éliminatoires quand une partie s'est terminée à égalité. Si le score est égal après cinq coups de pied de réparation de chaque côté, les tirs continuent par paire, un par équipe, jusqu'à ce que l'une des équipes rate et que l'autre marque et gagne.

Reste vigilant et ne te détourne pas d'un air révolté si ton tir est arrêté. Le gardien pourrait repousser le ballon à l'extérieur, te donnant une deuxième occasion de tirer au but.

CONSEIL DE PRO

Ce gardien a choisi la bonne direction pour plonger et effectuer l'arrêt. Au moment d'un coup de pied de réparation ordinaire, les joueurs peuvent continuer à jouer de sorte que le gardien voudra retenir le ballon. Dans une séance de coups de pied de réparation, aucun adversaire ne peut revenir avec une seconde tentative sur le but.

Les joueurs des deux équipes doivent rester à l'extérieur de la surface de réparation jusqu'à ce que le ballon ait été frappé. Ils peuvent ensuite courir dans la zone soit pour dégager un rebond s'ils sont du côté défensif, soit pour essayer de marquer s'ils sont de l'équipe attaquante.

Tactiques d'équipe

Les tactiques représentent la manière dont une équipe joue pendant une partie – comment les joueurs tentent de défendre et d'attaquer, leurs positions et leurs rôles particuliers. Un entraîneur est responsable des tactiques et il cherchera à prendre l'équipe adverse par surprise en exploitant ses faiblesses telles que des arrières latéraux lents ou inexpérimentés ou bien il utilisera les forces de sa propre équipe à leur plein potentiel.

Les équipes s'alignent en début de partie en rangées de défenseurs, milieux de terrain et attaquants. Cela s'appelle une formation. Cette formation 4-4-2 présente deux buteurs jouant devant quatre milieux de terrain.

Formation 4-4-2

Même avec une formation identique, deux équipes peuvent jouer très différemment en adoptant des styles de jeu différents. Certaines équipes utilisent des passes longues vers l'avant du terrain, dirigées vers leurs buteurs pour lancer des attaques rapides, alors que d'autres préfèrent une montée de jeu plus patiente, en utilisant de nombreuses passes courtes pour garder le ballon et chercher des ouvertures.

Les défenseurs d'une équipe ont remonté le terrain rapidement et avec détermination en ligne droite pour surprendre un adversaire hors jeu. Ce piège pour le hors-jeu est utilisé comme tactique de défense par certaines équipes.

Un seul buteur peut jouer en avant, utilisant sa force et son adresse pour couvrir le ballon et effectuer des passes de transition à des camarades attaquants qui jouent à quelque distance derrière lui.

Formation 3-5-2

Il s'agit d'une formation populaire, car elle peut être déployée avec l'attaque ou la défense en tête. Les milieux de terrain très étendus peuvent pousser vers l'avant quand leur équipe a le ballon pour couvrir une grande largeur pendant l'attaque.

Les joueurs individuels peuvent recevoir des instructions tactiques particulières. Par exemple, on pourrait dire à un gardien de but de ne pas dégager le ballon d'un coup de pied ou à un milieu de terrain de jouer en position défensive, connue sous le nom de milieu de terrain central. On peut changer de tactique pendant une partie pour contrer différentes menaces de l'autre équipe ou si la situation de jeu change, par exemple quand un joueur d'une équipe a été chassé du terrain.

Formation 4-4-1-1

Populaire auprès de nombreuses équipes, la 4-4-1-1 voit quatre défenseurs et milieux de terrain cherchant à alimenter un avant-centre avec un deuxième buteur jouant dans le trou derrière lui.

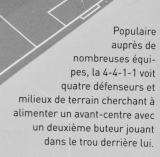

Un attaquant est remplacé par un milieu de terrain par l'entraîneur d'une équipe. Les changements sont une partie essentielle du jeu tactique, car ils permettent à un entraîneur de remplacer un joueur fatigué ou qui ne performe pas à son habitude ou encore de reformer l'équipe afin qu'elle soit davantage tournée vers l'attaque ou la défense.

Parfois, une équipe peut choisir un de ses milieux de terrain pour marquer un adversaire dangereux, par exemple un meneur de jeu qui met souvent sur pied des occasions de marquer. Le but est de priver le joueur de temps et d'espace pour créer ces occasions.

Terme de soccer   CHANGEMENT : Remplacement d'un joueur dans l'équipe par un joueur de remplacement sur le banc

De jeunes joueurs s'entraînent à l'Ajax Academy. Le réseau hollandais des clubs pour jeunes est célèbre pour sa production de nombreux joueurs de talent, y compris Edwin van der Sar, Johan Cruyff, Rafael van der Vaart et Wesley Sneijder.

Soccer professionnel

Tous les joueurs de soccer talentueux rêvent d'être payés afin de jouer pour un club professionnel. Alors qu'ils progressent dans les équipes scolaires, locales et régionales, les jeunes joueurs peuvent s'inscrire pour s'entraîner et perfectionner leurs habiletés dans un réseau professionnel de clubs pour jeunes.

Le soccer est joué au niveau professionnel par des clubs sur tous les continents, mais les ligues centrales comprenant les clubs les plus riches se trouvent toutes en Europe. Elles attirent la crème des joueurs de talent venant d'Afrique, d'Asie et des Amériques, ce qui donne à de nombreux clubs européens une véritable saveur internationale.

Les partisans de l'équipe brésilienne Flamengo forment un spectacle coloré pendant un match contre Boa Vista. Partout dans le monde, les admirateurs affluent pour regarder jouer leurs équipes, consacrant beaucoup de temps et d'argent pour les suivre.

Une partie de l'English Premier League est une vraie affaire internationale. Ici, le milieu de terrain de l'Everton's English, Leon Osman, est serré de près par trois joueurs de Manchester City – Ivorian Yaya Touré, Vincent Kompany de Belgique et Samir Nasri de France.

À son plus haut niveau, le soccer professionnel est une entreprise gigantesque. Par exemple, en 2011, le Real Madrid a engendré plus de 430 millions d'euros, alors que Barcelone paie 30 millions d'euros par saison à Lionel Messi. Les joueurs de premier niveau sont riches et de grandes vedettes, mais la célébrité et la fortune s'étiolent rapidement à l'extérieur des plus grandes ligues, avec certains clubs qui se débattent pour rester en affaire.

Les ligues de soccer professionnelles existent pour les femmes dans un certain nombre de pays, y compris l'Allemagne, l'Amérique du Nord (la Women's Professional Soccer League) et, depuis 2011, l'Angleterre (la Women's Super League). Ici, Shannon Boxx (à gauche) du Los Angeles Sol et Yael Averbuch du New Jersey Sky Blue poursuivent le ballon pendant un match de la WPS.

Cristiano Ronaldo et Kaka attaquent pour le Real Madrid, le club qui a battu le record du monde du transfert de joueur pour engager Kaka pour 56 millions de livres sterling en 2007 et encore en 2009 avec 80 millions de livres sterling pour engager Ronaldo.

Une sélection de maillots, de foulards et d'autres marchandises sont en vente à un étal du Chelsea FC. La vente de billets et de marchandises, de concert avec les commandites et la vente des droits pour la télévision, sont des méthodes clés de gagner de l'argent pour un club de soccer.

« *Mon intérêt se trouve dans le succès collectif de l'équipe et non dans la gloire individuelle.* »

Lionel Messi, Barcelone et Argentine

MARCHANDISE : Souvenirs, vêtements et autres articles achetés par les partisans

Terme de soccer

Compétitions majeures

Les clubs de soccer compétitionnent dans les ligues (où les équipes s'affrontent au moins deux fois au cours d'une saison) et dans les compétitions de coupe avec séries éliminatoires à la fois dans leur propre pays et dans des pays étrangers. Cela inclut la Copa Libertadores en Amérique du Sud et la Ligue des champions d'Europe de l'UEFA en Europe.

El Hadji Diouf, jouant pour les Glasgow Rangers, évite la charge de Beran Kayal (à droite), du Celtic pendant leur affrontement à la Coupe écossaise 2011. Le Celtic et les Rangers sont les clubs qui or le plus de succès dans cette compétition, car ils or gagné le trophée 34 et 33 fois respectivement.

La J League japonaise a lancé sa compétition professionnelle en 1993 et elle met aujourd'hui 18 équipes en vedette. Kashima Antlers est le club le plus victorieux, avec sept titres de la ligue.

Deux géants du soccer européen, l'Inter Milan et le Bayern Munich, s'affrontent dans un match 2010-2011 de la Ligue des champions de l'UEFA. Ces deux équipes ont atteint la compétition finale (ou la Coupe européenne qu'elle a remplacée) un total de 13 fois.

Les équipes nationales prennent également part à des compétitions continentales. Cela inclut le Championnat européen de l'UEFA et la Coupe d'Asie. La plus ancienne compétition continentale, la Copa America pour les équipes sud-américaines, a commencé en 1916. La Coupe des nations africaines a commencé avec seulement trois équipes en 1957, mais compte aujourd'hui 50 équipes participantes. Les pays envoient aussi des équipes masculines et féminines compétitionner aux Jeux olympiques d'été.

SAMUEL ETO'O

Le buteur vedette camerounais Samuel Eto'o est le marqueur record de la Coupe des nations africaines avec 18 buts en 6 tournois.

Le Leyton Orient, trois divisions de ligue sous l'Arsenal, lutte jusqu'à l'égalité 1-1 dans un match de la Coupe d'Angleterre 2011. Tenue pour la première fois en 1871-1872, la Coupe d'Angleterre est la compétition de coupe la plus ancienne encore disputée dans le monde.

Le LDU de Quito joue contre l'équipe uruguayenne Penarol à la Copa Libertadores 2011. Trois ans plus tôt, le LDU de Quito est devenu la première équipe d'Équateur à remporter cette compétition.

Brett Holman d'Australie (à droite) charge Qusai Munir d'Irak pendant la Coupe d'Asie 2011. L'Australie a commencé à compétitionner dans le soccer asiatique en 2007, l'année où l'Irak a remporté la compétition.

Les joueurs d'Égypte célèbrent leur troisième victoire consécutive à la Coupe des nations africaines en 2010. Ils sont l'équipe la plus souvent victorieuse de la compétition avec sept titres.

La Coupe du monde

Depuis son lancement en 1930, la plus importante compétition de soccer est la Coupe du monde de la FIFA. Les joueurs dans plus de 200 équipes nationales rêvent de se qualifier pour le tournoi de 32 équipes, qui se tient une fois tous les quatre ans. Les équipes qui atteignent les finales de la Coupe du monde savent qu'elles ne sont qu'à sept parties de la possibilité de soulever le célèbre trophée des champions mondiaux.

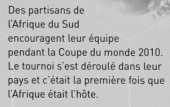

Iker Casillas tient dans les airs le trophée de la Coupe du monde alors que ses coéquipiers espagnols célèbrent leur victoire de la Coupe du monde 2010 devant plus de 84 000 spectateurs.

Des partisans de l'Afrique du Sud encouragent leur équipe pendant la Coupe du monde 2010. Le tournoi s'est déroulé dans leur pays et c'était la première fois que l'Afrique était l'hôte.

Des joueurs brésiliens célèbrent un but marqué contre l'Écosse pendant un match amical. Le Brésil sera l'hôte de la Coupe du monde 2014, avec la finale jouée à Rio de Janeiro.

Des équipes s'affrontent dans des compétitions de qualification dans leurs régions pour atteindre la finale. Elles sont ensuite séparées en huit groupes de quatre équipes. Les deux meilleurs camps de chaque groupe passent en séries éliminatoires. Les trois rondes de parties suivantes décident des deux équipes qui disputeront la finale. Le Brésil est le pays remportant le plus de succès, car il a gagné cinq fois, suivi par l'Italie avec quatre victoires et l'Allemagne trois. L'équipe allemande a aussi terminé parmi les trois premières du tournoi un nombre record de onze fois.

Linda Bresonik d'Allemagne défend contre l'Argentine pendant une partie ayant battu des records à la Coupe du monde féminine 2007, match remporté par l'Allemagne 11-0.

La Coupe du monde féminine de la FIFA a commencé en 1991 et elle a contribué à augmenter considérablement la visibilité du soccer féminin. Les États-Unis, la Norvège, le Japon et l'Allemagne ont tous remporté la compétition, alors que la Chine, le Brésil et la Suède ont atteint la finale.

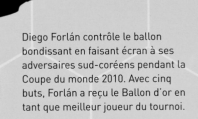

Diego Forlán contrôle le ballon bondissant en faisant écran à ses adversaires sud-coréens pendant la Coupe du monde 2010. Avec cinq buts, Forlán a reçu le Ballon d'or en tant que meilleur joueur du tournoi.

Avec seulement quatre minutes restantes à la période de prolongation, Andrés Iniesta tire au but devant Maarten Stekelenburg pour remporter la Coupe du monde 2010 pour l'Espagne, qui venait avec un prix au gagnant de 30 millions de dollars américains.

PROLONGATION : Période de jeu supplémentaire dans certaines compétitions lorsque le score final est égal à la fin de la partie

Terme de soccer

Les légendes du soccer

Dans l'histoire du soccer, certains joueurs ont ébahi et ébloui par leurs habiletés, leur performance athlétique et leur audace. Voici certaines des plus grandes légendes du jeu et des vedettes actuelles.

Franz Beckenbauer

Superbe défenseur pour le Bayern Munich et l'Allemagne de l'Ouest, Beckenbauer a révolutionné le rôle du balayeur, en avançant à grandes foulées au centre du terrain et en formant des attaques. Il a marqué 14 fois pour son pays, l'a mené en tant que capitaine à la gloire de la Coupe du monde en 1974 et les a menés à la victoire à titre d'entraîneur à la finale de 1990.

Lionel Messi

L'attaquant argentin doué a passé toute sa carrière d'adulte à Barcelone, où il a ébloui avec des dribles sinueux et des buts extraordinaires. Il est actuellement considéré comme le meilleur attaquant de la planète.

Michel Platini

Membre d'une talentueuse équipe française à la fin des années 1970 et dans les années 1980, Platini était un excellent passeur, un joueur extraordinaire pour effectuer des coups francs et qui marquait fréquemment. Depuis 2007, il est président de l'UEFA, le comité directeur qui régit le soccer en Europe.

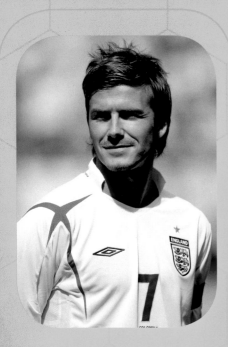

Hakan Sükür

Ce buteur turc a passé trois périodes avec le Galatasaray et a marqué plus de 350 fois pour différents clubs. Ses 51 buts pour l'équipe nationale turque comprennent le plus rapide de tous les temps à la Coupe du monde, marqué après seulement 10,89 s alors que la Turquie a terminé troisième à la Coupe du monde 2006.

Marta

Petite avec son 1,63 m, avec pourtant un tir puissant, l'avant brésilienne a été nommée Joueuse du monde de l'année un nombre record de cinq fois.

David Beckham

Beckham a passé dix ans avec le Manchester United, où ses passes précises et ses prouesses avec les coups francs ont aidé l'équipe à remporter six titres de la Premier League et celui de la Ligue des champions 1999 de l'UEFA. Un passage au Real Madrid a été suivi d'un transfert au LA Galaxy en 2007.

Lev Yashin

Ce grand gardien de but a été plus de vingt ans avec le Dinamo Moscow de 1949 à 1971 et il a joué 78 fois pour l'Union soviétique. Le prix Lev Yashin est à présent remis au meilleur gardien de but de la Coupe du monde.

George Best

Indiscipliné mais brillant, George Best est passé dans plus d'une douzaine de clubs, mais il est mieux connu pour ses performances emballantes avec le Manchester United. Capable de mener des tacles brutaux, des déviations et des dribles à travers une ligne de défense complète, Best a diverti des millions d'admirateurs.

Terme de soccer | **BALAYEUR :** Défenseur qui joue derrière la ligne principale des défenseurs, pour couvrir toute attaque qui passe la ligne de défense

Iker Casillas

L'un des meilleurs gardiens de but des temps modernes, Casillas a joué tout son soccer d'adulte avec le Real Madrid. Casillas est connu pour son agilité et, en 2010, il a été jugé le meilleur gardien de but de la Coupe du monde, que l'Espagne a remportée.

Ferenc Puskas

Avec son tir puissant, Puskas était le joyau de la couronne de l'équipe hongroise qui a remporté les Jeux olympiques 1952 et écrasé ses adversaires avec son jeu d'attaque. Il a gagné trois fois la Coupe européenne avec le Real Madrid.

Pelé

Sans conteste le plus grand joueur de soccer de tous les temps, Pelé était certainement le meilleur attaquant en tout du sport, ayant marqué 77 buts pour le Brésil et plus de 1200 pour Santos et ses autres clubs. Seul joueur à avoir remporté trois médailles du gagnant de la Coupe du monde, Pelé reste un personnage très aimé et respecté du monde du soccer.

Cristiano Ronaldo

Avec une vitesse foudroyante et un talent immense, Ronaldo est une vedette du soccer moderne. Il est passé du Manchester United au Real Madrid en 2009 et il a continué à marquer à un rythme de plus de 20 buts par saison.

Eusébio

Première vedette africaine du soccer, Eusébio a quitté son Mozambique natal pour jouer pour Benfica en 1960. Il a marqué plus de 450 buts pour le club et c'est lui qui a marqué le plus de buts à la Coupe du monde 1966, un total de neuf.

Birgit Prinz

Puissante joueuse et marqueuse explosive, Prinz a été en 1995 la plus jeune joueuse à jamais paraître dans une finale de la Coupe du monde. Elle a joué depuis plus de 200 fois pour l'Allemagne.

Diego Maradona

Seul rival réaliste pour la couronne de Pelé en tant que meilleur joueur de soccer, l'Argentin trapu était parfois tout simplement impossible à arrêter. Il a marqué le but du siècle dans la FIFA – un drible de 60 m devant de nombreux membres de l'équipe d'Angleterre à la Coupe du monde 1986.

Gheorghe Hagi

Imprévisible et hautement adroit, Gheorghe Hagi était le meilleur joueur de Roumanie dans les années 1980 et 1990, ayant remporté 125 sélections nationales et marqué 34 buts pour son pays. Après des passages dans divers clubs, y compris le Real Madrid, Hagi a aidé l'équipe turque Galatasaray à remporter la Coupe UEFA 2000.

SÉLECTION EN ÉQUIPE NATIONALE : Nombre d'apparitions d'un joueur de soccer dans son équipe nationale

Terme de soccer

Johan Cruyff

Attaquant véritablement doué, Cruyff a marqué 33 fois en seulement 48 apparitions pour les Pays-Bas. Cruyff a eu beaucoup de succès à Ajax et à Barcelone.

Zbigniew Boniek

Marqueur d'un extraordinaire coup-du-chapeau (trois buts) contre la Belgique à la Coupe du monde 1982, dans laquelle la Pologne a terminé troisième, Boniek était un milieu de terrain attaquant et coureur acharné. Après sept saisons avec le Widzew Lodz, il a rejoint Michel Palatini au Juventus, gagnant les titres de la Série A et de la Coupe européenne 1985.

Xavi Hernández

Maître dans l'art de débloquer les défenses, Xavi a passé toute sa carrière en club avec Barcelone, où il a remporté six titres de la Ligue espagnole et trois couronnes de la Ligue des champions. Xavi a aussi gagné le Championnat européen 2008 et la Coupe du monde 2010 avec l'Espagne.

Zinedine Zidane

Zidane a joué un rôle clé lorsque la France s'est élevée à un rang glorieux lors de la Coupe du monde 1998 et qu'elle est ensuite devenue championne de l'Euro 2000. Des poussées soudaines de vitesse, une première touche parfaite et une excellente intelligence du jeu lui ont permis de débloquer des défenses avec des passes ou des courses d'attaque. Zidane a passé des périodes avec le Juventus et le Real Madrid avant de se retirer en 2006.

Kelly Smith

Meilleure joueuse de soccer d'Angleterre, Kelly Smith a contribué avec ses buts et sa vitesse d'exécution à propulser l'Arsenal Ladies FC vers quatre titres de la ligue et trois coupes féminines de la FA. Elle a aussi remporté 100 sélections nationales pour son équipe nationale.

Hristo Stoichkov

Le plus célèbre joueur bulgare, Stoichkov avait une accélération soudaine et un tir foudroyant. Il était doué pour les coups francs et il a marqué 37 buts pour son équipe nationale, arrivée quatrième à la Coupe du monde 1994.

Mia Hamm

L'une des joueuses de soccer américaines de la génération dorée, Mia Hamm a remporté des coupes du monde et des médailles d'or olympiques. Elle a été la première joueuse à passer la barre des 100 buts internationaux en 1999, une preuve de son calme olympien et de son jeu athlétique dans l'ensemble.

Landon Donovan

Vedette de la Major League Soccer (MLS) pendant ses saisons avec les San Jose Earthquakes et le LA Galaxy, Donovan a aussi joué pour le Bayer Leverkusen et a été prêté pendant de courtes périodes à Bayern Munich et Everton. Ayant fait ses débuts contre le Mexique en 2000, il est devenu depuis le meilleur marqueur de l'équipe américaine avec 45 buts.

Ronaldo

Ayant commencé sa carrière professionnelle avec l'équipe brésilienne Cruzeiro, Ronaldo est déménagé en Europe où il a joué pour le PSV Eindhoven, Barcelone, l'Inter Milan et le Real Madrid et il a aussi marqué plus de 60 buts pour le Brésil. Sa fiche de 15 buts dans la Coupe du monde est un record de tous les temps.

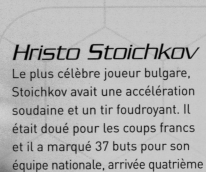

Terme de soccer   SÉRIE A : Meilleure ligue italienne de championnat

Lexique

adversaire
Un joueur de l'équipe de soccer adverse.

amorti
Ralentissement de la course du ballon avec une partie du corps, comme le pied, le torse ou la tête.

arbitre adjoint
Un officiel qui assiste l'arbitre pendant la partie, courant sur la ligne de touche de part et d'autre du terrain avec un drapeau.

avantage
Bénéfice accordé quand un arbitre laisse la partie continuer après un bris de règle et donne à l'équipe victime de la faute un avantage pour continuer à attaquer.

balayeur
Un défenseur qui joue derrière la ligne principale des défenseurs, pour couvrir toute attaque qui passe la ligne de défense.

barre transversale
La barre horizontale qui relie le sommet des deux montants du but.

carte jaune
Carte montrée par un arbitre pour avertir un joueur qui a commis une faute.

carte rouge
Carte montrée par un arbitre pour expulser un joueur du terrain à titre de punition pour une faute grave.

centre
Une passe effectuée depuis l'une des ailes de la ligne d'attaque dans la surface de réparation.

changement
Remplacement d'un joueur dans l'équipe par un joueur de remplacement sur le banc.

chevauchement
Action de courir devant un coéquipier le long de la ligne de touche du terrain.

combinaison
Un jeu ou un mouvement planifié utilisé par une équipe lorsque le jeu est repris avec un coup franc, un coup de pied de réparation, un coup de pied de coin, un tir au but, une rentrée de touche ou un botté.

cou-de-pied
La partie du pied du joueur où reposent ses lacets.

coup de pied de réparation
Un tir accordé à une équipe quand son adversaire enfreint une des règles du jeu à l'intérieur de sa propre surface de réparation. Seuls le joueur qui effectue le coup de pied de réparation et le gardien de but sont admis à l'intérieur de la surface de réparation pendant le tir.

coup franc
Un coup accordé à une équipe lorsque son adversaire enfreint une des règles du jeu.

couverture du ballon
La technique de protection du ballon consistant à placer ton corps entre le ballon et un adversaire.

défenseur
Le défenseur le plus près de la position du coup de pied de coin, habituellement placé près du montant.

déviation
Un changement soudain de direction après que le ballon a frappé un joueur.

drible
Déplacement du ballon sous un contrôle serré par une série de petits coups de pieds ou tapes.

échauffement
La séquence d'étirements et d'exercices légers réalisée par les joueurs pour préparer leur corps avant l'entraînement ou un match.

endurance
La capacité d'un joueur à soutenir une performance maximale pendant de longues périodes de temps.

feinte
Simulation d'un mouvement avec le corps pour envoyer un adversaire dans la mauvaise direction.

FIFA
Acronyme de Fédération Internationale de Football Association, le comité directeur du soccer.

formation
La manière dont une équipe s'aligne sur le terrain en ce qui a trait aux défenseurs, aux milieux de terrain et aux joueurs d'avant.

harceler
Retarder la passe d'un joueur opposant ou la poursuite de son attaque.

interception
Fait de prendre possession du ballon pendant que l'équipe adverse effectue une passe.

marchandise
Souvenirs, vêtements, calendriers des matchs et autres articles à vendre à

l'effigie d'un club ou d'une équipe nationale achetés par des partisans.

marquage
Surveillance d'un joueur pour l'empêcher de faire avancer le ballon vers le but, d'effectuer une passe facile ou de recevoir le ballon d'un coéquipier.

marquage de zone
Protection d'une parcelle de terrain précise par chaque défenseur.

mur
Une rangée de défenseurs protégeant leur but contre un coup franc.

obstruction
Fait d'empêcher un adversaire d'atteindre le ballon sans tenter toi-même d'attraper le ballon.

passe brossée
Déviation de la trajectoire d'un ballon. On effectue une passe brossée en frappant le ballon avec un côté du pied afin qu'il tourne dans une certaine direction.

passe en profondeur
Une passe faite à un coéquipier derrière la ligne de défense de l'équipe adverse.

passe en retrait
Une courte passe effectuée par la talonnade.

passe longue
Une passe d'un joueur à un coéquipier – ou pour marquer un but – lancée très haut en flèche dans les airs.

position hors jeu
Position de ton corps entre le but et le ballon ou l'adversaire.

possession
Fait pour un joueur ou une équipe de contrôler le ballon.

professionnel
Soccer où les joueurs recoivent un salaire à temps plein pour jouer.

prolongation
Une période de jeu supplémentaire dans certaines compétitions lorsque le score final est égal à la fin de la partie.

séance de tirs de réparation
Une méthode pour briser l'égalité d'un match par une série de tirs au but effectuée à un bout du terrain.

sélection nationale
Le nombre d'apparitions d'un joueur de soccer dans son équipe nationale.

Série A
La meilleure ligue italienne de championnat.

souplesse
Ta capacité à bouger tes articulations et diverses parties du corps.

surface de réparation
La zone rectangulaire de 40,2 m de large entourant chaque but.

surnombre
Une situation où l'équipe attaquante a plus de joueurs dans une zone du terrain que l'équipe en défense.

tactiques
Méthodes de jeu employées pour tenter de semer et de battre l'équipe adverse.

UEFA
Acronyme de l'Union européenne des associations de football, le comité directeur du soccer en Europe.

Index

Crédits photographiques

L'éditeur aimerait remercier ceux qui suivent pour lui avoir accordé le droit de reproduire leur matériel. Tous les soins ont été apportés pour trouver les détenteurs de copyright. Cependant, s'il y a eu des omissions involontaires ou s'il a été impossible de trouver ledit détenteur, nous présentons nos excuses et nous entreprendrons, si on nous en informe, de faire les corrections nécessaires dans les impressions futures.

h = en haut ; b = en bas ; c = au centre ; g = à gauche ; d = à droite ;

6bg Bongarts/Getty Images, 6-7c Getty Images, 7bg Getty Images, 7 hd AFP/Getty Images, 8 Getty Images, 15 hd Getty Images, 17 hd The FA via Getty Images, 19bg Bongarts/Getty Images, 19bd AFP/Getty Images, 21bd Getty Images, 23 hd AFP/Getty Images, 26bg AFP/Getty Images, 27 hd AFP/Getty Images, 29 hd AFP/Getty Images, 30bd Bongarts/Getty Images, 34bg Bongarts/Getty Images, 37 hg Getty Images, 44bg The FA via Getty Images, 45 hd Getty Images, 50 h Joachim Ladefoged/VII/Corbis, 50cd LatinContent/Getty Images, 50b AFP/Getty Images, 51 hg Getty Images, 51bg Getty Images, 51d MLS via Getty Images, 52cg AFP/Getty Images, 52 hd Getty Images, 52b Getty Images, 53 hg AFP/Getty Images, 53 hc Getty Images, 53 hd AFP/Getty Images, 53b AFP/Getty Images, 53bd AFP/Getty Images, 54cg AFP/Getty Images, 54b AFP/Getty Images, 54-55 Getty Images, 54-55b AFP/Getty Images, 55 hd AFP/Getty Images, 55bd 2010 Bob Thomas/Getty, 56bg Bob Thomas/Getty Images, 56d AFP/Getty Images, 57 hg WireImage/ Getty Images, 57 hd AFP/Getty Images, 57bd Getty Images, 58 hg AFP/Getty Images, 58 hd AFP/Getty Images, 58b Time & Life Pictures/Getty Images, 59 h Getty Images, 59cg Bongarts/Getty Images, 59cd Getty Images, 59b Bob Thomas/Getty Images, 60 hg AFP/Getty Images, 60 hd Bob Thomas/Getty Images, 60b AFP/Getty Images, 61 g Getty Images, 61 hd Bob Thomas/Getty Images, 61b AFP/Getty Images.

HEAT AND ENERGY

NIGEL HAWKES

Aladdin/Watts
London • Sydney

This edition published in 2003
© Aladdin Books Ltd 2003

*First published in
Great Britain in 1995 by*
Watts Books
96 Leonard Street
London EC2A 4XD

ISBN 0 7496 5075 3

A CIP catalogue record for this book is
available from the British Library.

Printed in UAE

Design	David West Children's Book Design
Designer	Edward Simkins
Series Director	Bibby Whittaker
Editor	Angela Travis
Picture research	Brooks Krikler Picture Research
Illustrator	David Burroughs

*Nigel Hawkes is the Science
Correspondent for The Times
newspaper. He has written many
books for children, mainly on science
and technology subjects.*

*The consultant, Dr Bryson Gore, is a
lecturer and lecturer's superintendent
at the Royal Institution, London.*

INTRODUCTION

The universe began in an incredibly hot ball of energy and from that time to the present day, the effects and uses of heat and energy are everywhere. Everything we do uses energy. Running, cycling, walking and reading a book – all these actions need energy. When we heat our homes, when we cook our food, even when we sleep we are using heat. Since humankind began, we have found new ways to store and use the power of heat and energy, developing transport, industries and leisure activities which depend on this power. In this book we explore the scientific principles and everyday applications of heat and energy and their vital roles in the modern world.

Geography
The symbol of planet Earth shows where geographical facts are examined in this book. These sections look at different uses of alternative energy across the world and the effect of hot or cold climates on farming.

Language and Literature
An open book is the sign for activities which involve language and literature. Refer to these sections to learn more about the legends which surround the mystery of fire and discover what everyday sayings have to do with energy.

Science
The microscope symbol indicates where science information is included. For example, one panel explains how a cup of tea cools down and another shows you how to make a simple electromagnet.

History
The sign of the hourglass shows where historical information is given.
These sections investigate early theories about heat and energy and take a look at how the world was without electricity.

Maths
Maths projects and information are indicated by a symbol of a ruler and compass. You can calculate how much energy is used in the home and learn what your temperature is.

Arts, crafts and music
The symbol showing a piece of music and art tools signals arts, crafts or musical activities. These include a look at the artist's view of natural energy and man-made technology.

CONTENTS

WHAT IS ENERGY?

Energy is the ability to do things. Without it we couldn't get up in the morning, or turn on the lights, or drive the car. Plants wouldn't grow, the rain wouldn't fall, the Sun wouldn't shine. Everything we do needs a supply of energy, which is used to make things work: the word energy is Greek, and means "the work within". Energy comes in many forms, which can be stored and used in different ways.

The universe was born 15 billion years ago in an incredibly hot ball of energy (left). It began to expand at an astonishing rate, creating matter and cooling rapidly as it grew. After 10,000 years, atoms appeared and in two billion years began to group together to form stars and galaxies. Whirling gases around the stars condensed into the planets, like Earth and Mars, about five billion years ago.

Matter and energy

Energy and matter seem very different, but they're not: in fact, matter can be turned into energy. This is how the Sun produces its enormous energy, and how nuclear power stations and nuclear bombs work. The physicist Albert Einstein showed that the amount of energy produced is given by the equation $E = mc^2$, where E is energy, m is mass, and c is a very large number – the speed of light.

The energy we need comes from food. Some foods, like sugar or fat, contain more energy than others. In the body, food is digested to release its energy, which then flows through the bloodstream to the muscles. An active person needs more food than somebody who sits down all day.

Aristotle and Galileo

The Greek philosopher Aristotle (384-322 BC) was among the first to try to explain energy. He believed that a heavier stone would fall faster than a lighter one – but he never tested it. If he had, he would have found that both fell at the same rate. They did not fall simply because they were heavy, but because they had energy from being lifted. It was the Italian physicist Galileo Galilei (1564-1642) who first began to understand this and to challenge many of Aristotle's incorrect theories.

All machines need a source of energy. Viking longboats were driven by muscle power, which is limited. But the petrol or diesel engines in a modern mechanical digger are far more powerful. Until the invention in the 19th century of engines that could turn heat from coal or oil into work, the methods by which people altered their environment were very different.

Energy expressions

There are many sayings which use ideas about heat and energy. To "get into hot water" means to get into some kind of difficult situation. To "go full steam ahead" means to do something with all your energy. To "blow hot and cold" is to change your attitude towards something many times. Do you know these sayings: to "be too hot to handle", to "be firing on all cylinders"?

Tidal waves

The energy of earthquakes under the sea can travel across the oceans as huge waves called tsunamis. The tsunamis, or tidal waves, are barely visible out at sea, but when they reach land they sweep ashore, causing destruction. Systems around the Pacific Ocean warn people to move if a tsunami approaches.

Sound is a form of energy, created by vibrations, such as the sound of a tuning fork. It is transmitted through the air in waves, which travel at about 1,126 kph (700 mph). The vibrations of the air are picked up by our ear drums, which vibrate in time, sending signals to our brains.

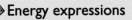

ENERGY CYCLE

Nearly all the energy we use comes originally from the Sun. It radiates through space and reaches Earth, causing plants to grow. These plants provide us with food energy in the form of crops and feed the animals which we eat as meat. They also provide fuel because plants and microscopic creatures that lived millions of years ago formed the fossil fuels – coal and oil. Rainwater, evaporated by the Sun's heat from the oceans, fills the rivers and provides hydro-electric power, while the wind is also produced by the Sun.

Sun worship

The Incas, Mayas and Aztecs, of South and Central America, worshipped the Sun with sacrificial offerings on Sun temples (left). The Incas thought the emperor was a descendant of the Sun. When he died his body was preserved and kept in his palace, where servants continued to wait on him.

an Egyptian Sun-god

In ancient Egypt, the Sun was one of many gods until king Akhenaten decreed that the Sun-god, Aten, should be the only god.

core

convection zone

radiation zone

photosphere

Myths and legends

In Greek mythology there were many gods. Phaeton, the son of the Sun-god Helios, was granted his wish that he should control the chariot of the Sun for a whole day. But Phaeton lost control of the horses and the Sun came too close to the Earth. He was about to burn the Earth up when Zeus, the chief god, struck him down with a thunderbolt.

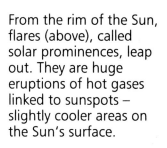

From the rim of the Sun, flares (above), called solar prominences, leap out. They are huge eruptions of hot gases linked to sunspots – slightly cooler areas on the Sun's surface.

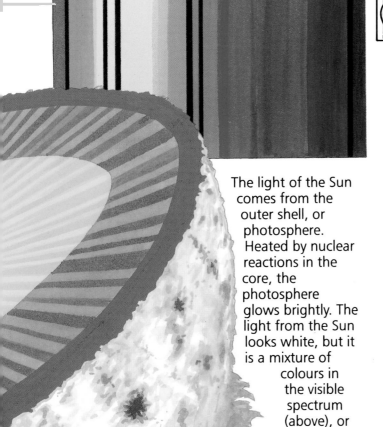

The light of the Sun comes from the outer shell, or photosphere. Heated by nuclear reactions in the core, the photosphere glows brightly. The light from the Sun looks white, but it is a mixture of colours in the visible spectrum (above), or the range of colours visible to people.

a single plant cell

Food energy

Different foods provide different amounts of energy, measured in kilocalories (or kcals). Each day we need 2,200 - 2,900 kcals from our food. A gram of fat contains nine calories; a gram of flour or sugar just under four; a gram of fish between one and two. Just sitting still uses 1.1 kcals a minute, while walking uses 3-4 kcals a minute and running fast about 15 kcals a minute. Sportspeople have a special diet to give them enough energy to compete.

Plants capture the Sun's energy by a chemical process – photosynthesis (left). A green chemical, chlorophyll, creates sugars from water in the plant's roots and carbon dioxide gas in the air. Other chemicals – nitrogen, calcium, phosphorus and potassium – come from the soil.

Wheat worldwide

Six crops – wheat, rice, maize, barley, oats and rye – provide about half of all human food energy. Wheat is used for making bread and is very efficient at converting sunlight into food energy, while for thousands of years rice has formed the basic diet of half the world's population. Wheat grows easily in cold, northern climates with low temperatures as opposed to rice, which needs warmer, wetter conditions in order to thrive and is grown on graduated terraces.

ENERGY CHANGES

Energy cannot be created, nor can it be destroyed. It can only be converted from one form into another. A fire converts chemical energy from its fuel into heat, while a steam engine goes further and converts the heat into work by generating steam in a boiler. A torch converts electrical energy stored in its battery into light. There are dozens of ways in which energy can be stored and used, all governed by scientific rules known as the laws of thermodynamics.

Making fire

When two surfaces rub together, the work of rubbing is turned into heat. This is the simplest way to create a fire and was used by our ancestors in a device called a fire drill (below). A rod is inserted into a hole in a piece of wood. The rod, attached to a bone and a leather bow, is turned rapidly and held in place by a mouthpiece. The base hole heats up, begins to smoulder and eventually catches fire.

A rocket converts chemical energy in its fuel into kinetic energy, or motion. The space shuttle has five rockets. Two are solid-fuelled and the other three burn hydrogen by mixing it with oxygen. The fuel burns and escapes through the rocket nozzles, driving the rocket forward in reaction to the flow of the exhaust gases.

James Joule

The English scientist James Joule (1818-1889) was so interested in the study of heat energy that he took a thermometer on his honeymoon. He spent much of the time studying the temperatures of the water at different points of a waterfall. His work played a vital role in showing that heat was in fact a form of energy. The unit of measurement for energy, the joule, was named after him.

USA

United States

NASA

Art and energy

The English artist J.M.W. Turner (1775-1851) lived at a time when new machines were transforming life. His paintings use vivid colours and an impressionistic style to create a sense of the forces of energy and the power of nature, whether painting a storm at sea, an Alpine scene, or a steam train.

An archer preparing to shoot does work on the bow to make it bend. The bow then has energy called potential energy. As soon as the archer lets go of the bowstring, this potential energy is released and converted into the kinetic energy of the arrow, sending it speeding away.

A drum is a way of converting the kinetic energy of the drumsticks into sound. The harder the drummer hits the taut drum-skins, the bigger their vibrations and the louder the sound.

Lifting and dropping

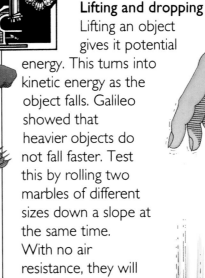

Lifting an object gives it potential energy. This turns into kinetic energy as the object falls. Galileo showed that heavier objects do not fall faster. Test this by rolling two marbles of different sizes down a slope at the same time. With no air resistance, they will arrive at the bottom together. In a vacuum, where there is no air, a feather will fall as fast as a marble.

Old Faithful

This geyser in California is famous for its regular eruptions. Every day, jets of hot water shoot high into the air. The water, from below ground, is heated by the Earth's heat, building up pressure until it erupts. Geysers convert the Earth's energy, or geothermal energy, into kinetic energy – the moving jet of water – and then into potential energy.

lead weight loses energy as it descends

Christian Huygens (1629-1695) invented the pendulum clock. The energy to drive the hands of the clock comes from the falling lead weight, which releases a fraction of the weight's potential energy with each tick. The clock stops when the weight reaches its lowest position.

HEAT AND TEMPERATURE

Once it was thought that heat was a kind of fluid that could flow from hot to cold, but this is not so. Heat is actually a form of kinetic energy, caused by the atoms and molecules of matter vibrating to and fro. The hotter a thing is, the more violently its atoms vibrate, and the greater its heat content. Heat always transfers energy from a hotter place to a cooler one – for example, the energy in a hot drink moves from the drink to the cooler air around it. The intensity of the heat in any object can be measured by its temperature.

Heat from the Sun reaches us directly by radiation through space. Radiant heat travels in straight lines and can be blocked by clouds.

pyrometer　　**mercury thermometer**

Thermometers and pyrometers are used to measure temperature. A radiation pyrometer works by converting heat into electricity; an optical pyrometer observes the colour of the object and matches it with a known temperature.

Infra-red radiation

Warm objects radiate heat, mostly in the form of infra-red radiation. This lies just beyond the red end of the visible spectrum – hence its name – and can be detected by film sensitive to those wavelengths. Infra-red images show small variations in temperature and are useful for assessing the growth of crops or the extent of forests.

infra-red satellite picture of the Earth

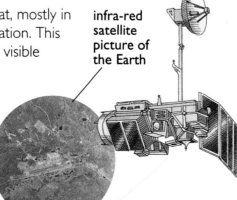

The Landsat 5 satellite system (left) was designed to acquire data (below left) about the Earth's resources. The strongest readings are of healthy vegetation.

Body heat

You can measure temperature with a thermometer (right). A column of mercury inside a glass tube expands along a graduated scale as the temperature rises. A healthy human body is always at the same temperature, but what is it? Take your own temperature to find out.

Substances expand as they get hotter because the atoms are vibrating more quickly and tend to be further apart, increasing volume. Different materials expand differently. The Eiffel Tower grows seven inches on a hot day.

Heat is spread in fluids by convection. Near the source of heat the fluid warms up, becomes less dense, and rises, to be replaced by the colder fluid.

In solids, heat flows by conduction. Atoms vibrating violently at one end, because they are hot, agitate those further along and cause heat to flow.

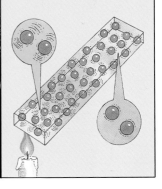

Animal heat

Some creatures have warm blood, others have cold. Birds and mammals have warm blood. This means that in cold climates they have to conserve heat, with hair, feathers or blubber, and use heat generated by their muscles to keep them warm. Reptiles, amphibians, fish and invertebrates are cold-blooded. Their blood is the same temperature as the outside world, which makes them slow in cold weather.

Cool colours

Different colours express different temperatures and also different emotions, something that painters have always understood. Red is a hot, dangerous colour, because when things are very hot, they glow red. We also get red in the face when we are angry. Blue is a cool colour, borrowed from the sky and the sea. Black Americans invented the Blues as a vivid expression of their despair.

FIRE AND BURNING

A fire is a chemical reaction, in which a burning object combines with oxygen, producing an energy change. Most of the energy from fire is heat energy, but fire also releases energy in the form of light and sound. This is why fire can be seen, felt and heard. Fires need high temperatures and a supply of oxygen to keep them burning, so removing either of these can put out a fire. Substances such as water, sand or foam can also be used to smother a fire and dampen the flames.

Prometheus

In Greek myths, Prometheus (right) was a god who created people and gave them reason. He stole fire from heaven and gave it to humans. Zeus chained him to a rock and sent an eagle each day to eat his liver, which grew back at night. After many years, Prometheus was rescued.

Matches have heads made of a substance that is easily ignited by rubbing. The heat generated by rubbing them on a rough surface is sufficient to ignite the match.

The Great Fire of London

The Great Fire of London, in 1666, destroyed much of the city. It spread swiftly through the narrow streets filled with wooden houses. As there was no proper fire service in England at that time, people had to wait for the fire to burn itself out, which took days. When the citizens returned, they found their homes and their city in ashes.

Modern fire fighters do not always use water to douse flames, because if fuel is burning, water may spread it and make the fire worse. Foam is used in airports, swamping the fire and cutting off the supply of air that it needs to keep burning.

Some things burn very slowly. Piles of old car tyres can smoulder for years, releasing smoke and filthy liquids. Putting them out is very difficult.

The internal combustion engine

The internal combustion engine emerged during the late 19th century as an alternative to steam power. The engine burns a mixture of petrol and air inside the cylinders, driving a piston with little power. Steam engines burn fuel outside the cylinders and use it to produce steam, which drives the pistons. Modern Grand Prix engines in Formula One racing cars have 8 or even 12 cylinders. For extra power, fuel can be blown into the cylinders using turbo-chargers.

CO^2

Most combustible materials contain carbon, the basic building block of life. Coal, wood, oil and gas all contain carbon as a major constituent. When they burn, the carbon combines with oxygen to produce the gas carbon dioxide, which drifts away as smoke. Some people fear that we are producing so much carbon dioxide that it will cause the Earth to warm up, by blocking the radiation of heat in a 'greenhouse effect'.

O^2

Hell fires

Hell is supposed to be a place where evil people burn for ever. The theme was often used by religious artists of the Middle Ages, such as the Dutch painter Hieronymus Bosch (1450-1516). His teeming Hell is full of people regretting that they didn't lead better lives.

Candle combustion

Burning or combustion needs a supply of oxygen for it to continue. In order to prove that this is true, try this experiment. Light a candle in a saucer containing water, then put a Pyrex glass over it, with its rim in the water to seal it. Ask an adult to help you with this experiment, taking care with matches.

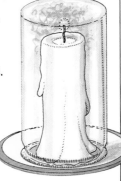

As the candle burns, it uses up the oxygen, and goes out when there is none left.

FOSSIL FUELS

Coal, oil and natural gas are known as fossil fuels. They were formed from plants and the tiny creatures that lived on them, which were buried and subjected to the heat and pressure of the Earth over many millions of years. As energy from the Sun is stored in plant leaves as potential chemical energy (by photosynthesis), fossil fuels are a form of stored solar energy. The amounts available are large, but one day they will run out. Until then, we can use them as fuel and as raw materials for plastics, fertilisers and chemicals.

Vincent Van Gogh

The painter Vincent Van Gogh (1853-1890) knew a lot about coal-mining communities, as he spent some time working as a missionary among the miners before becoming a painter in 1880. His early paintings were mainly of people in their work places, such as *The Return of the Miners* (below).

Coal deposits vary in location as well as quality. Coal can be extracted from near the surface by opencast mining. Often, however, the seam is deep underground and vertical shafts must be dug down to the seam. Tunnels or galleries are then cut into the seam as the coal is extracted.

SWOPS

When oil is found under the oceans, huge production platforms can be built to extract it. But if the well is small the cost may not be justified. Then a wellhead can be placed on the seabed, and oil pumped up to a tanker above, in a system called SWOPS – the Single Well Oil Production System. A single tanker, with room for 300,000 barrels, can serve up to three small fields.

seismic truck

the SWOPS system

The study of sound, or seismic, waves in the solid earth can help companies to locate oil and gas. Trucks can be fitted with equipment which sends controlled sounds into the earth.

Coal gas has now been replaced by cleaner natural gas, found in reservoirs in the Earth's crust, often with oil. It consists mainly of methane. The cheapest fuel available, gas is ideal for heating.

Gas lighting

In 1792 a Scottish engineer, William Murdoch, produced gas by heating coal in a closed container. By 1814 the first streets were lit by gas in London. However, really good lights were not available until 1885.

Swampland

Plants and animals flourished on Earth 300 million years ago. At that time, large areas of the Earth were swampy forests. These waterlogged conditions preserved the vegetation as part of its slow change to coal.

Crude oil is a heavy liquid which must be broken down, or refined, before being used. The process used to refine oil is distillation, and is based on the fact that different parts (fractions) of oil boil at different temperatures. The lightest fractions make petrol, with heavier fractions being used for heavy fuel oil and tar.

D.H. Lawrence

Coal mining was a major industry in the 19th century and produced mining communities around pits. It was a dangerous job which bred a strong community spirit. The novelist D.H. Lawrence (1885-1935), the son of a miner, wrote novels centred in these communities from his own life and experience.

Oil is less plentiful than coal, and is found where rocks prevent it escaping. Exploration rigs all over the world drill through ice and sea in the hope of striking oil. When they do, pipelines and tankers take it away. It is so valuable that its discovery can make a country very wealthy.

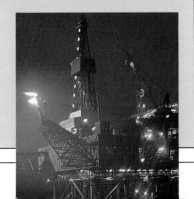

ELECTRICITY

Electricity is the most convenient form of energy, available at the flick of a switch and able to provide light, power and heat. It is generated mostly by huge machines called turbo-generators, driven by steam produced by coal, oil, gas and nuclear boilers. It is also produced in smaller generators powered by wind and water. The first public supplies were installed in New York in 1882, and today, almost everybody in developed countries has access to mains electricity, transforming our lives.

Natural electricity

Electricity occurs naturally in the form of lightning and in electric shocks that some creatures can produce. The electric ray has muscles on either side of its head that can produce a shock wave sufficient to stun nearby prey. Sharks can detect tiny electrical currents from other fish, tracking them even in darkness. But until the work of Faraday (see p.17), it was not known that this natural electricity was the same as that produced by batteries.

A fuel cell (above) converts chemical energy into electrical energy. It is a way of making electricity directly by reacting together hydrogen and oxygen, to create electricity and water. The principle has been known for many years but only recently have fuel cells become practicable. Now buses powered by fuel cells are being tried out.

A battery is a way of turning chemical energy into electricity. Inside a battery there are two metal parts which are covered by a special chemical. When the circuit is made by switching on an appliance, the chemicals inside the battery react to produce charged particles. The negative particles collect at one terminal and the positive ones at the other. In the circuit the charged particles flow from the negative to the positive terminal in a current.

negative terminal

positive terminal

In a coal-fired power station (right), coal is burned in a huge boiler and its heat produces steam. Water is fed through pipes that pass through the hot region of the boiler, turning it into steam. The steam is then superheated to a very high temperature before passing to the steam turbines. Even the most efficient power stations turn less than about 35 per cent of the energy in the fuel into electricity: the rest is lost as low-temperature heat through cooling towers, or in some modern plants is used to heat buildings.

Michael Faraday

The scientist Michael Faraday (1791-1867) discovered how electricity worked whilst working at the Royal Institution in London. In his most famous experiment, he showed that if two coils of wire were wrapped around an iron core shaped like a ring (right), a current was created in the second coil every time the current in the first was switched on or off.

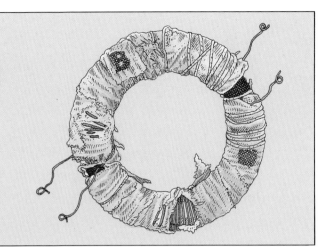

Steam turbines (left) consist of a series of fine-bladed fans running inside a tight-fitting case. High-pressure steam is fed into the turbine from a boiler, and expands past the successive rows of fans, driving them round. All the fans are connected to a single shaft, which runs directly to a generator. As the steam condenses, it is returned to the boiler again.

Frankenstein

When Mary Shelley (1797-1851) wrote the novel *Frankenstein* in 1818, electricity was all the rage. Scientists had shown that an electric current applied to the muscle of a frog made it jump. So what better way for Dr Frankenstein to bring his monster to life than by giving it a huge jolt of electricity? The story has remained one of the most popular ever written.

Make an electromagnet

You will need a coil of copper wire and a battery. Wind the coil round a steel knitting needle and use a compass to detect the magnetic field produced when the current flows. Does removing the needle make any difference?

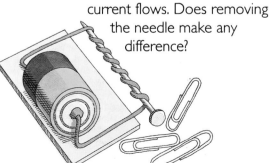

Power stations send electricity through thick cables, often carried high above the ground by pylons (right). The power in the cables is at a very high voltage and is reduced by transformers for use in offices and homes.

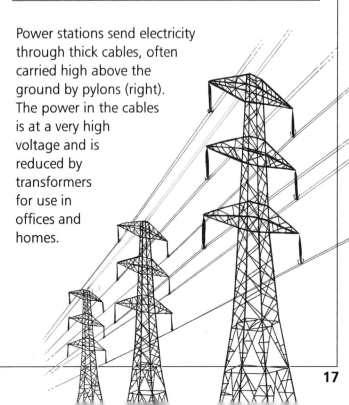

ALTERNATIVE ENERGY

Fossil fuels are plentiful, but one day they will run out. Then we will need to use alternative energy sources, such as wind, waves, geothermal, solar, nuclear and tidal power to generate electricity. Most of these are renewable sources, so called because they do not rely on a resource which can be used up. None are fully developed yet but a lot of money has been invested in the past few years in trying to find an economical and safe alternative. The best prospect at present appears to be solar energy, but wind power may also be a worthwhile source.

The Earth's energy
The heat of the Earth itself can be used to generate power in some places. Powerful jets of steam emerging from geysers can be used directly to generate electricity. Attempts have also been made to tap geothermal heat (heat from underground rocks) by drilling holes into dry rock and pumping down water.

Wind power is practical, and close to being economical. In the US, one million households are now supplied with electricity from wind turbines. Wind "farms", with many turbines grouped together, are now being built in windy places.

Thorium reactor
Scientists are researching a safer, more efficient form of nuclear power plant that runs on the element thorium. The thorium is hit by particles, called neutrons, from a device called a particle accelerator. The neutrons cause the thorium to convert into a type of uranium.

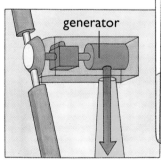

generator

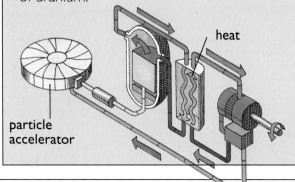

heat

particle accelerator

A wind turbine has a two- or three-bladed rotor, which drives the generator. The electricity is fed by cables into a national grid (the system connecting all the power stations in a country).

Nuclear power

Nuclear power works, and uranium fuel is plentiful. It also produces large amounts of power, unlike most alternatives. But its costs are higher than fossil fuels and it faces campaigners who claim that it is unsafe, following several alarming incidents concerning safety. For example, the disaster at Chernobyl nuclear power station in 1986 caused 135,000 local evacuations. These difficulties have reduced the building of nuclear plants worldwide.

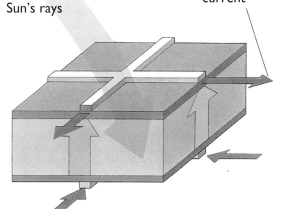

Fuel from plants is created from timber, grown specially and turned into woodchips (left) to burn in a furnace. Wood can also be turned into a gas which is useful for cooking. Fuels like this are called biomass.

Solar cells make electricity directly from sunlight, but convert about 10 per cent of the energy that reaches them. They are made of layers of a material such as silicon. The Sun's light creates electric charges in the silicon which flow between the layers, and produce a current.

Sun's rays

flow of current

Wave power

Tidal power stations are dams across estuaries which capture water at high tide, then allow it to escape through turbines to generate electricity. The Rance plant, in France, is the only large one ever built, due to the high building costs.

Sun energy

Solar cells can generate electricity at nearly economic prices in places where there is a lot of sunshine. The Solar One power station, in the Mohave Desert in California, uses solar cells to convert the Sun's light energy into electricity. Nearly 2,000 computer-operated mirrors reflect the Sun's rays at a central tower. There the heat energy is absorbed by oil. Heat from this is then used to turn water into steam and generate electricity.

TRANSPORT

Getting around uses a lot of energy. Almost all of it comes from oil, refined to produce petrol, diesel and aviation fuel. But burning fuel produces polluting gases such as the oxides of nitrogen, so great efforts are now being made to produce cleaner vehicles. Catalytic converters can clean up exhausts, and efficient cars that use less fuel or run on batteries are being developed to meet the new standards.

The cost of fuel is a major factor in airline operation and is one reason why *Concorde* is the only supersonic passenger plane. Newer engines may use less fuel, but bigger planes are more cost-effective than faster ones.

Sailing ships disappeared in the 1930s, except as pleasurecraft. But recently, several ship-owners have fitted space-age sails (below), often computerised, to cargo ships as a way of saving fuel. The sails are easily controlled, and engines remove the old danger of becoming becalmed.

Alternative fuels

The world's oil is unequally distributed, and countries that have it try hard to keep the price high. This is a problem for countries buying oil, such as Brazil, inspiring them to create fuel from plants. Alcohol can be made by fermenting many plants and used on its own or added to petrol to make it go further. The problem is that although oil costs a lot, producing alternative fuels often costs even more. Because of this cost, countries normally depend on their own government for financial help.

Claude Monet

Claude Monet, a 19th-century impressionist painter (1840-1926), was inspired by the power of steam. His *Gare de St Lazare* shows life in a major Paris station. It was one of a series of paintings showing the scene at different times of day.

Future wheels

The bicycle is one of the most efficient means of transport ever invented. The Lotus racing bike (right), used by Chris Boardman to win an Olympic gold medal in Barcelona, has a frame made of reinforced carbon fibre. Wind-tunnel testing proved its speed.

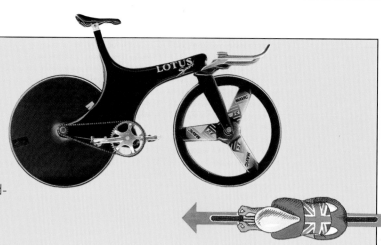

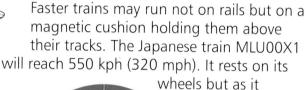

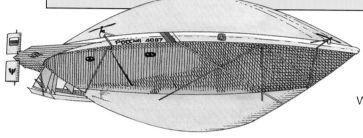

The era of the great airships ended in 1937 with the crash of the Hindenburg in New Jersey. Since then, attempts have been made to revive the airship (above) by using helium rather than inflammable hydrogen. There are ambitious plans to use airships for carrying cargo to remote areas.

Faster trains may run not on rails but on a magnetic cushion holding them above their tracks. The Japanese train MLU00X1 will reach 550 kph (320 mph). It rests on its wheels but as it moves along, electromagnets on the side make currents in coils on the track. The magnetic fields repel each other and the train lifts.

Hansom cabs

Before cars, cities were crowded with horsedrawn vehicles. For 70 years, from the 1830s, the Hansom cab was London's most popular form of transport. The driver sat above the passengers and could talk to them through a trap-door in the roof.

Hybrid cars (above), combining both electrical and conventional engines, could cut pollution. They have a small engine that runs efficiently and recharges the batteries which provide the main power. They have a much greater range than cars depending on batteries alone, but are expensive. Traditional batteries are heavy and bulky, while smaller nickel-cadmium or sodium-sulphur batteries could cost thousands of pounds per vehicle.

Catalytic converters (left) are part of the exhaust systems of modern cars to reduce pollution. They use catalysts – substances that make chemical reactions more quickly – to reduce the amounts of unburned petrol and carbon monoxide in the exhaust.

INDUSTRY

Industry would not exist without sources of energy. Heat is used to transform ores into metals, and machines need power to turn those metals into finished products. The first factories were built close to streams, getting their power from running water. After the invention of the steam engine, areas with plenty of coal attracted industry. Today, the availability of oil, gas and cheap electricity are all important factors in deciding where a company locates.

The Alaskan pipeline

When oil was found in Alaska, a pipeline was built to get it out. It crosses mountain ranges and rivers, over frozen ground. To keep the oil moving it is heated. For more than half its length, the pipeline is on supports with coolers. The supports contain ammonia. In warm weather, the ammonia vaporises, ensuring that the ground stays frozen around the supports.

Making steel uses huge amounts of energy. Iron ore is mixed with coke and smelted in a blast furnace (above). Hot air allows carbon in the coke to burn, at a high temperature. This reduces the ore to pig iron. To make steel (below), the carbon in pig iron is reduced by adding oxygen. The oxygen and carbon form carbon dioxide, leaving behind steel.

It is electricity that has transformed our lives. Modern industries, like radio, television, hi-fi, computers and electronics, use far less energy than the traditional industries such as coal and steel. We can send and receive information via cable and satellite all over the world.

The Industrial Revolution

During the Industrial Revolution, machines were created to do the work of people. Among the first was the spinning jenny, patented in 1770 by James Hargreaves, a carpenter and weaver. The jenny replaced the spinning wheel as a means of creating yarn from cotton. From 1790, such machines were driven by steam engines whose efficiency had been much improved by the inventions of James Watt. By 1812, the cost of making cotton yarn was one tenth of what it had been in 1780.

Water power

For nations which are short of energy, water can still provide the best option. By building dams to create reservoirs and using the water to generate electricity, they get power without pollution. One fifth of the world's electricity is generated by such hydro-electric plants. The Itaipu dam on the borders of Brazil and Paraguay is the world's most powerful dam.

The chemical industry (right) turns raw materials – crude oil, sulphuric acid and silica, for example – into a vast number of products ranging from explosives to fertilisers and plastics to glass.

Coalbrookdale

After the world's first iron bridge was built in Coalbrookdale, Shropshire, England (below), artists came to record the drama of the smoke rising and the steam engines at work there.

The spinning jenny was invented in the 1760s.

The Watts steam engine was invented in 1812.

Cleaning up

Both coal and oil usually contain small amounts of sulphur. When they burn, this becomes sulphur dioxide, which mixes with air and produces acid rain. This damages buildings and stunts the growth of plants. To meet new laws, power plants must burn low-sulphur fuels, or fit enormous scrubbers to remove sulphur dioxide from the gases before they leave the chimney.

a Japanese power plant with scrubbers

ENERGY IN THE HOME

We use energy in the home for heating, lighting, cooking, cleaning, listening to music, watching TV, shaving and making telephone calls. There is hardly a single thing we do that doesn't depend on energy being instantly available. Yet until a century ago – and even today in many parts of the world – none of these devices existed. People got up with the Sun, and went to bed when it set.

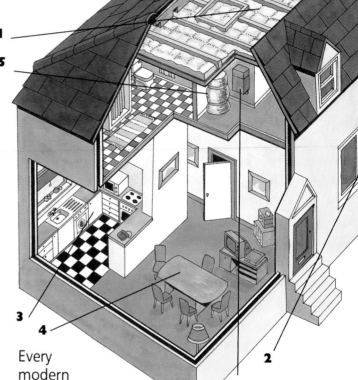

1

5

3

4

2

6

Early home-help
The first vacuum cleaner was the idea of engineer Hubert Booth in 1901, after watching cleaners at a railway station using air to blow dust and dirt out of a train. He thought that sucking dirt into a bag would be better than blowing it out. W.H. Hoover, a harness-maker from Canton, Ohio, sold his first vacuum cleaner in 1908, and soon cleaned up. The Hoover was designed by J. Murray Spangler, but it is Hoover's name which is now famous.

Every modern home has devices that use different energy sources. Because energy has always been available, most are not as efficient as they could be. The key (facing page) shows places in the house above that have been improved to save energy.

Microwave power
Microwave ovens first appeared in 1945. They were developed after research into radar at Birmingham University, England, produced powerful radio-frequency waves. It was soon clear that these waves could be used in cooking. The waves spread throughout the oven, penetrate into the centre of the food and create intense heat and the food cooks quickly.

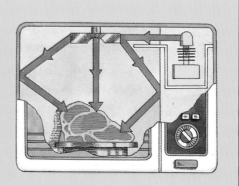

Power needs

Some devices use lots of power, while others need little. One kilowatt-hour of electricity will only cook the lunch in an electric oven for about 20 minutes, but it will power a 100 watt bulb for ten hours, run a TV for three hours and keep time for three months using an electric clock.

Not that long ago, some families would have used gas to light their home, though most were still using candles and oil lamps. To cook, they used a cast-iron range, though gas cookers were beginning to appear. Electricity was still a great novelty. For amusement people read or played card games or musical instruments – activities that need no outside source of power. Today, many families in developing countries have electricity for lighting and television.

In hot climates, homes may be more comfortable if they are cooled. In the Western world, some homes have air conditioning, but in developing countries shade is used to keep cool. In other hot climates, houses are built in light colours to reflect the Sun's rays.

Deforestation

In the world's poorest countries, people are forced to move into the forests and use the land to plant their crops. However, this has become increasingly difficult as the forests are fast disappearing. Over the last twenty years, people have realised the great damage that has been done by industries that clear forests for timber and burn the ground in order to develop it. This is called "slash and burn".

Office blocks depend entirely on technology to make them habitable. Large areas of glass would make them too hot without air conditioning. Better-designed blocks can be more efficient in energy.

SAVING ENERGY

Today many nations are thinking carefully about saving energy. Burning fossil fuels may contribute to global warming, and reserves of oil, gas and coal will run out. More efficiency, less waste, and greater efforts to recycle materials are the results. Homes, offices and factories now use less energy, while the fuel consumption of cars has improved. More could be done, but the high cost of saving energy is often seen as a disadvantage.

Industry has always recycled valuable materials; a quarter of every new car is made of metal from old cars. Paper can also be used again, once it has been bleached to remove ink. Recycled paper is never as clean and crisp as new paper, so it can't be used for high-value products. Often, it may simply be cheaper to plant more trees and use them as raw material.

Insulation
A simple experiment shows the value of insulation in saving energy. Use two identical mugs and wrap an old scarf around one. Fill both with hot water at the same temperature. Take the temperature of each at regular intervals and plot them on graph paper. Also try a thermos flask. Why is that so much better?

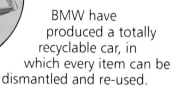

BMW have produced a totally recyclable car, in which every item can be dismantled and re-used.

Pedal power
Bicycles are the most energy-efficient form of transport in towns. They don't burn fuel and are quicker in heavy traffic. The police in Seattle, USA, use bicycles instead of cars. The biggest drawback is the danger from other vehicles.

Scientific research has shown that the lead in car exhaust fumes is dangerous to the body, even in small quantities. Lead-free petrol was introduced to reduce pollution but it doesn't save energy because it burns less smoothly than leaded petrol.

a bottle recycling plant

Recycling of domestic waste makes sense, but not if it involves driving many kilometres to put a few bottles in a bottle-bank. That would use far more energy in petrol than could ever be saved by recycling glass. Separating waste into different rubbish bins at home sounds more sensible. But often the prices paid for waste materials are too low to cover costs.

The world has huge coal reserves, but less gas or oil. The oil looks as if it will run out in only 20 years. This is misleading: oil companies do not explore for new oil if they have enough to be going on with.

Nuclear fuel that has already been used once can be reprocessed to extract plutonium and unused uranium. This process takes place in a reprocessing plant (left) where the used fuel is dissolved in nitric acid and waste products are chemically removed.

THE DESTINY OF ENERGY

One day the Sun will run out of nuclear fuel and simply fizzle out, along with life on Earth. But that time is at least five billion years away. Long before then we shall have run out of fossil fuels, which we are now using far more rapidly than they were created. New energy resources will then be needed to keep civilisation going, and fortunately there are possibilities both here on Earth and up in space.

Ice caps

Our activities on Earth may be changing the climate. Gases such as methane in the atmosphere act like the glass in a greenhouse, allowing light in but preventing heat from escaping. These gases added by humans might increase temperatures by several degrees causing the melting of the polar ice caps.

Building a solar station in space would be by far the biggest space construction project ever attempted. Because Earth's gravity is so strong, lifting thousands of tons of material into space would be very costly. So mining the Moon or Mars could be a better idea. It may even make sense to place the power station on the Moon.

How will the universe end? It began with a Big Bang, followed by a rapid expansion. Will it go on expanding for ever, or go into reverse, start shrinking, and eventually end in a Big Crunch? It all depends on how much mass there is in the universe.

Chemicals put into the atmosphere expose us to more ultraviolet radiation from the Sun, by damaging the protective layer of ozone (right) high in the stratosphere. These chemicals are being stopped, and this is helping the ozone to recover.

Ocean heat

Water deep in the ocean is much cooler than it is at the surface. Ocean thermal energy conversion (OTEC) plants make use of this difference. Warm water from the surface is used to boil a liquid, which drives a turbine and generates electricity. Then cold water from deep down is used to condense the vapour back to liquid, in a closed cycle. The system uses solar heat, but is not dependent on daylight, as the ocean acts as a store.

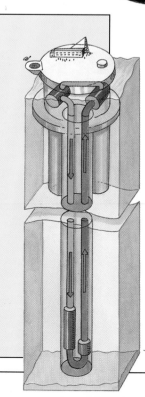

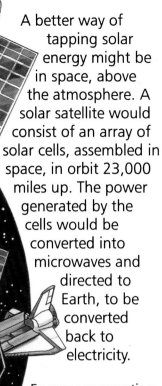

A better way of tapping solar energy might be in space, above the atmosphere. A solar satellite would consist of an array of solar cells, assembled in space, in orbit 23,000 miles up. The power generated by the cells would be converted into microwaves and directed to Earth, to be converted back to electricity.

Energy consumption varies enormously around the world, with the developed countries using far more than the developing countries. As a result, the known reserves in each part of the world vary greatly. This store is measured below. The former Soviet Union has the biggest reserves of coal and natural gas and the Middle East has the biggest reserves of oil.

Futuristic energy

A lot of interesting thinking about future worlds is done by science fiction writers such as H.G. Wells, Aldous Huxley, or Arthur C. Clarke, author of *2001, A Space Odyssey*. It was Clarke who first thought of the geostationary communications satellite in 1945, long before the first real satellite went into orbit. His latest book imagines life on Mars.

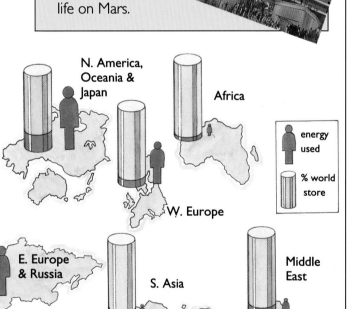

N. America, Oceania & Japan

Africa

W. Europe

energy used

% world store

E. Europe & Russia

S. Asia

Middle East

Latin America

China

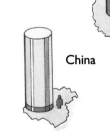

Nuclear fusion can be started with heat from high-power lasers. The lasers are focused on a minute fuel pellet, which is dropped into the reactor so that it does not touch the walls.

laser beams

Fusion

In the future it may be possible to control nuclear fusion reactions, produced by combining two forms of hydrogen at very high temperatures. Scientists have created nuclear fusion in a tubular reactor. This is called a Tokamak. The most successful experiment of this has been in Princeton in the United States.

HOT FACTS

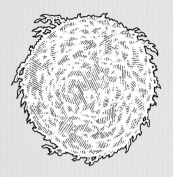

The Sun is the source of almost all our energy. Its surface is 6,040°C, but deep down, it's even hotter – 15 million degrees at the very centre.

The Saturn 5 rocket burns three tons of fuel a second, and pushes with the combined power of 30 diesel trains.

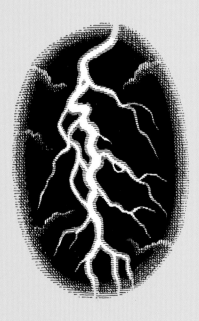

Light travels faster than sound, so you can work out how far away a storm is by counting slowly after you see lightning. A five second delay equals one mile.

The world's worst-ever nuclear accident happened at Chernobyl, in the Ukraine, in 1986. Thousands of people were exposed to radioactivity when Unit No.4 blew up and caught fire.

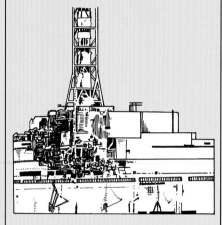

The machine hall at the Dinorwig storage station in Wales is twice the size of a soccer pitch and as high as a 16 storey building.

Electric trains in France reach speeds of 515 kph (320 mph). These are called TGVs (Train à Grande Vitesse).

Cold blooded animals like lizards need the Sun. They crawl on to rocks to warm up before they can do anything energetic.

Once in a blue moon really did happen. In 1950, a forest fire in Alberta in the United States sent ash and dust into the air. This scattered the moonlight so that it looked blue.

People in the United States use 70 times as much energy per head as people in India.

The amount of energy needed to make a battery is 50 times greater than the amount of energy it produces.

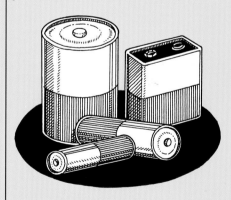

The Sun weighs 330,000 times as much as the Earth, and burns 600 million tonnes of hydrogen a second.
  Fortunately, there's enough to keep it shining for another five billion years.

GLOSSARY

Air resistance The weight of all the air in the atmosphere pressing down on the surface of the planet because of the pull of the Earth's gravity.

Atom The smallest possible part of a substance.

Big Bang The huge explosion of hot gases which created our universe.

Combustible Used to describe a substance that is able to catch fire easily.

Condense To become more concentrated.

Conserve To keep or save something.

Convert To change something from one form to another.

Electromagnet A magnet created by wrapping an electric wire around a metal core.

Estuary The mouth of a river, where it flows into the sea.

Fossil fuels Fuels such as coal and oil which are formed over millions of years from decaying plants and animals.

Galaxy A large cluster of stars. Earth's galaxy is the Milky Way.

Geothermal Heat from the Earth.

Global warming The increase in the average temperature of the Earth caused by the build-up of greenhouse gases in the atmosphere.

Gravity The force of attraction between any two objects. The size of the force depends on the size of the object. The Earth is enormous so has a huge gravitational pull.

Greenhouse gases The gases in the atmosphere which allow the heat of the Sun to reach the Earth, but also slow down its escape.

Ignite To catch fire.

Industrial Revolution A period in the 18th to 19th centuries, where enormous changes occured in the designing of industrial machinery.

Matter Anything that has weight, occupies space and can be seen.

Molecules The small units which make up any object.

Ore A natural substance from which metal can be extracted.

Particle A tiny part of a substance.

Photosynthesis A process in which green plants use the energy from water and carbon dioxide.

Radar Tracking the position of an object using reflected radio waves.

Solar energy Energy from the Sun.

Stratosphere The upper layer of the atmosphere, about 6 miles (10 km) above the surface of the Earth.

Thermometer A device for measuring temperature.

Vibration A rapid, to-and-fro movement.

Voltage The size of an electric current.

Work When a force is exerted on something which moves, we say that work has been done.

INDEX

Photographic credits

Abbreviations: t – top, m – middle, b – bottom, l – left
Front cover t, m, 2t, 7t, 9 both, 10t, mr, 11tr, m, 12t, mr, br, 13tl, 15m, 16m, 18 both, 20t, bl, 22tr, ml, b, 25m, br, 26b, 27t, 28m, b: Frank Spooner Pictures; Cover b, 4t, 5b, 6t, b, 7m, 10ml, 11tl, 13tr, m, 15b, 16t, 25bl, bm, 26tr: Roger Vlitos; 2b, 4b, 5t, 12ml, bl, 15tr, br, 19r, 21b, 25t, 27b: Mary Evans Picture Library; 3, 9t, 13b, 23mr: Bridgeman Art Library; 5m: CAT; 6m, 8, 16b, 17t, ml, 21m, 24t, 29b: Science Photo Library; 7b, 14tr, b, 15tl, 17b, 19l, 22tl, 23t, 26tl, 28t: Solution Pictures; 10b: Robert Harding Picture Library; 14tl: Kroller Muller State Museum, Otterlo; 17mr, 22mr: Spectrum Colour Library; 20br: Musée D'Orsay; 21t: Lotus; 23ml: Glaxo, France; 23b: Courtesy of Babcock Hitachi; 24b: Hulton Deutsch; 26m: BMW; 27m: British Nuclear Fuels PLC; 29t: Kobal Collection.